# HANNAH-JANE

# HANNAH-JANE

## LLEUCU ROBERTS

Diolch o galon i Huw Meirion Edwards, Cyngor Llyfrau Cymru,
i Sion Ilar am y clawr, i Wasg y Lolfa, ac yn arbennig i
Meleri Wyn James am ei llygad manwl a'i chyngor doeth bob amser.

Argraffiad cyntaf: 2021
© Hawlfraint Lleucu Roberts a'r Lolfa Cyf., 2021

Cynllun y clawr: Sion Ilar

Rhif Llyfr Rhyngwladol:  978 1 80099 080 7

Dymuna'r cyhoeddwyr gydnabod cymorth ariannol
Cyngor Llyfrau Cymru

Cyhoeddwyd ac argraffwyd ar ran
Llys Eisteddfod Genedlaethol Cymru gan
Y Lolfa Cyf., Talybont, Ceredigion SY24 5HE
*e-bost* ylolfa@ylolfa.com
*gwefan* www.ylolfa.com
*ffôn* 01970 832 304
*ffacs* 01970 832 782

'Ddim hyn ydw i. Dwi'n fwy na hyn.'

*Cyflwynedig i M, cyfaill a chymydog sy'n wahanol iawn i Hannah-Jane, ond yn gymaint mwy na'r cyflwr sy'n eu huno.*

# GWANWYN

*U*ST! MAE'R DRE'N *deffro!*
Disgleiria haenen o farrug dros y toeau yn haul y bore
cynnar, ond mae'r un sy'n gwrando ac yn gweld yn gwybod o
hir arfer mai trysor dros dro ydi'r gwres sy'n gwthio'i lafnau i
asennau'r dre. Clyw grician cricymalau'r lle wrth i'r dre lacio'i
chyhyrau ac ymestyn tuag at y gwres wrth i rod y flwyddyn droi'n
ddigamsyniol tuag at yr haul. Gwêl gyrff yn codi o ddaear galed
y gaeaf a chyhoeddi wrth y lliwiau sy'n dechrau bochio drwy
rodfeydd y dre, rydyn ni yma!

Llithra drwy strydoedd sy'n sychu cwsg o'u llygaid; heibio i
adeiladau'r Cyngor lle mae'r gwenyn yn dechrau suo wrth fwrw iddi
ar fil gorchwylion y dydd; heibio i'r arhosfan bysiau, lle mae rhywun
yn plygu ei gwdyn cysgu'n dwt; heibio i'r siopau'n dylyfu gên a
dangos wyneb clên i'r rhai sy'n dechrau dod am dro i weld; heibio i'r
maes, lle daw'r byd i gyd am dro ryw dro neu'i gilydd rhwng dechrau
amser a'i ddiwedd o.

Dyma wanwyn, fel yr holl wanwynau, meddylia, a chofia
amdanyn nhw, y gwanwynau cyn i geir a lorris beswch eu llwch dros
balmentydd a strydoedd, pan oedd siopau lu yn goferu eu cynnyrch
i'r stryd a dim yn denu o'r tu allan; pan oedd lliwiau a synau'n
gyfforddus braf a'r tymhorau yn eu lle; pan oedd y byd yn daclus, a
'run broblem yn fwy na hyd y dydd, mor dwt â hen sitcom teuluol
gofalus gyfforddus glyd.

Cofia wedyn am y gwanwynau pan ddechreuodd y lliwiau a'r
synau droi'n fwy beiddgar, a daeth eraill i'r dre i gynnig eu cyweiriau
gwahanol, eu lliwiau a'u synau a'u blasau eu hunain, a da gan y
bobol oedd y blasau'n enwedig. Ac mae'r byd yma, nawr, yn agor ei
ddrysau'n blygeiniol i adael y dydd i'w tai cyn bwrw ati i baratoi i
lafnio dros eraill.

Gwêl fod llawer eisoes wedi dechrau heidio o'r canol i'r cyrion,
i estyn eu pigau at y siopa wythnosol oddi ar silffoedd i drolïau,

fel y gwna'r gwylanod o'r biniau yn y maes. Pigo trysor o fôr o sbwrielach.

Gwêl mai hen olwg ddigon stêl sy ar yr wynebau, er gwaethaf ymdrechion haul y bore bach. Bydd angen hafaid o haul iddyn nhw flodeuo. Llithra heibio i werthwr Big Issue, heibio i siop elusen a siop elusen, a diolcha amdanyn nhw. Maen nhw'n ceisio rhoi haul ddoe i stryd fawr y dre, yn wyneb pob gofid ac adfyd sy'n perthyn i heddiw.

Eistedda am hydoedd yn gwrando ar leisiau'r dre –

'Pwy 'dan nhw i ddeutha ni be i neud?'

'Pa "nhw" sy gen ti rŵan?'

– yn dal i sôn am sgandal sy bron yn deirblwydd oed.

'Chawson ni ddim refferendwm yn 1939, i ofyn os oeddan ni am fynd dros y môr i ladd ac i farw.'

'Isio bomio Mwslins sy!'

(Efo be, ystyria, efo jam cyrains coch? Lliain gwyn wedi'i glymu rhwng dwy stôl fel byddai gan wragedd tŷ y pum degau heb ddim byd gwell i'w neud na jam.)

Mae hi'n codi wedyn, a hofran heibio i'r ysgol lle mae trowsusau a sgertiau llwyd dros wanwynau wedi toddi'n waelodion tracwisgoedd Nike a chrysau-T y Beatles, S Club 7 a Justin Bieber, heibio i'r capel tawel a'r ganolfan ieuenctid fywiog gynt sy bellach wedi cau, heibio i'r llyfrgell, lle mae amrywfydau'n denu'r dre i ddianc.

(Ac mi wnaethon nhw ddewis dianc drwy roi X ar bapur, ia ia ia!

'Unrhyw beth yn well na be sy gynnon ni.'

'Werth trei, dydi?'

'Be ma'i am neud, 'dwch?'

'Glaw fydd hi nesa.')

Heibio i'r siopau betio lle mae trwynau'r hen gapelwyr wedi troi ers aml wanwyn, a'r siopau pônio a phrynu aur, heibio'r tafarnau sy'n cael wyneb newydd o un i un dros ddegawdau, ond lle mae'r sgyrsiau'n dal 'run fath, drwy strydoedd, drwy amser, tuag at y môr rhwng fan hyn a fan draw.

# 1

Y R UN GNOC, a'r un siâp yng ngwydr y drws. Hon eto.
'W, mae'n ddigon oer, Mrs Jones,' medda hi cyn i fi
orffen agor y drws iddi.

Dwi awydd cytuno a deud 'i bod hi ddigon cynnas o flaen
y tân lle o'n i'n ista'n hapus braf cyn iddi neud i mi godi o
'nghadar i ddod i agor y dam drws iddi.

'Dowch i ista,' medda hi wedyn, wrtha i, yn 'y nhŷ fy hun, a
chamu tuag ata i heb i mi 'i gwadd hi i mewn.

'Be w't ti'n ddisgwyl 'radeg yma o'r flwyddyn?' medda fi
gan droi ar fy sawdl, a thrio peidio swnio'n swta.

Gas gin i siarad tywydd. Ma pawb yn neud o, a dw innau
wedi gneud fy siâr, ond gas gin i fo hefyd. Siarad gwag sy'n
newid diawl o ddim byd. Achos os oes 'na rwbath na fedrwn
ni newid, tywydd ydi hwnnw. Tywydd a marw. A ma pawb, ar
boen 'i fywyd, yn osgoi siarad am farw.

'Bryd iddi gynhesu dipyn bach,' medda hi a rwbio'i dwylo'n
'i gilydd fatha actores cwmni drama dwy a dima'n cyfleu
'oerfel Siberaidd'. 'Mae hi wedi bod yn aea' hir.'

'Yr ha' sy o'n blaenau ni,' medda fi wrthi. Gawn ni weld
pa mor hir fedran ni ddal ati i siarad mewn hen ystrydebau
gwirion.

'Bryd iddo fo ddechra dangos 'i drwyn, wir,' medda hi gan
eistedd yn ddiwahoddiad yn y gadair freichiau wrth y tân
nwy dwi newydd godi ohoni. 'Mawrth a ladd, Ebrill a fling,
meddan nhw.'

'Wel dyna fo felly, be well fedran ni ddisgwyl?' medda fi.

'Fydd hi'n fis Mai wsnos nesa,' medd y ffynnon pob doethineb.

Ma hon yn curo pawb. Brenhines y siarad gwag, myn uffarn i. Ma hi'n waeth na'r lol maen nhw'n siarad ar radio ac ar y brecffyst-tî-fî ddiawl 'na sy'n ddigon i godi pwys ar sant.

Dwi'n eistedd gyferbyn â hi. Mae 'na olwg ddigon bethma arni. Bochau cochach na ddyliai fod gan ddynes 'i hoed hi, be bynnag. Yn ôl y sŵn clecian gwydr oedd yn 'i bocsys ailgylchu hi bore 'ma, does fawr o ryfadd 'u bod nhw'n goch chwaith. A ma'i gwallt hi wedi gwynnu'n go arw dros yr wythnosau diwethaf. Golwg wael arni. Siŵr bod 'na rwbath nad ydi hi'n 'i gyfadda. Falla mai ar y tshênj ma'i, ma rhei'n 'i gael o'n waeth na'i gilydd, a gneud ryw ffŷs fawr amdano fo. Doedd o ddim yn bod pan o'n i'n ddigon ifanc i fynd drwyddo fo. Wel oedd, roedd o'n bod i'r graddau fod pethau'n stopio, ond doedd 'na ddim byd mwy iddo fo: stop a dal ati, dyna oedd hi bryd hynny, ond Iesu, mae 'na ffŷs amdano fo'r dyddiau yma, ar teledu rownd y ril, ac ar y radio. Ro'n i'n arfer meddwl mai rwbath i bobol posh oedd menopôs, ond mae o'n digwydd yng Nghymru hefyd y dyddiau yma.

Trwyn a bochau coch. Taswn i'n rhoid y golau ymlaen, mi fyswn i'n gallu sbio i'w llygada hi i weld os ydyn nhw'n felyn. Fysa hynny'n dangos 'mod i'n iawn am y poteli. Dwi'n codi i neud. Mae hithau, fel ryw hogan bach isio plesio 'Miss', yn hannar codi i wasgu'r switsh drosta i pan mae hi'n gweld be dwi'n neud, yn union fatha taswn i'n gripil.

'Gadwch i fi neud...'

Ond dwi wedi neud. Dwi'n mynd yn agosach ati. Tydi hi ddim yn dallt pam dwi'n sbio i'w llygada hi. Fedra i ddim gweld melyn, er ella'u bod nhw'n felyn, tasa hi ddim yn eistedd yn y cysgod.

'Golwg wedi blino arna chdi,' medda fi i esbonio pam dwi wedi bod yn sbio arni. Fedrith hi ddim godda 'mod i'n deud hynny, dwi'n gweld arni, ac mae hi'n trio meddwl am ffordd o droi'r sylw oddi arni hi heb fod mor anghwrtais ag anghytuno.

'Oes 'na?' Didaro. Ond dwi'n gallu gweld 'mod i wedi'i bwrw hi oddi ar 'i hechel.

'Gwatsia di neud gormod,' dwi'n deud wrthi, a mynd yn ôl i eistedd gyferbyn â hi, gyferbyn â 'nghadair i. 'Gneud gormod 'di lladd aml i un.'

'Dim peryg o hynny,' mae hi'n esgus chwerthin.

Mae hi mor hawdd 'i chynhyrfu. Ddim byd neith hi ddangos wrth gwrs. Ond dwi'n gallu gweld dan yr wyneb, o dan 'i chroen hi. Dyna fo: dwi wrth 'y modd yn mynd o dan 'i chroen hi.

Ddim bob diwrnod. Na, ddim bob diwrnod. Ond y diwrnodau dwi'n codi, ac yn teimlo'n flin efo fi'n hun, efo'r blwmin corff 'ma sy gin i sy ddim yn neud be dwi isio iddo fo neud; efo'r pen 'ma sy â'i feddwl 'i hun wedi mynd; yn flin efo'r byd am fod fel mae o, yn dywydd ac yn firi ac yn farw i gyd. A phawb yn siarad lol.

Ar ddyddiau eraill dwi'n falch o'i chwmni hi. Falch o'i chael hi drws nesa, yn ddigon o drwyn i ddod i chwilio amdana i, achos prin fod 'na 'run diawl arall neith hynny. Ac ar y dyddiau hynny, dwi'n reit siŵr 'mod i yn deud wrthi, yn dangos iddi, 'mod i'n gwerthfawrogi.

Ond fedra i ddim help mai un o'r diwrnodau blin ydi heddiw. Dyddiau'r ci du. Weithiau, dwi'n gweu er mwyn cadw'r ci du yn 'i gwt. Ond neithiwr o flaen *Question Time*, mi wylltish i gymaint 'u bod nhw'n dal i siarad am Brexit nes i mi golli'n lle efo'r gweu, a chael twll, a sylwais i ddim tan bod Anna Ford, neu be bynnag ydi enw'r un newydd 'na sy ganddyn nhw, yn gofyn y cwestiwn gwirion 'na ar y diwedd sydd ond yno i lenwi twll. Erbyn i mi fynd i edrych, roedd twll maint hannar coron yn y flanced babi ro'n i'n weu i bwy bynnag fydd 'i hangen hi, a mi fu raid i mi ddatod y bali lot, lawr i lle dechreuish i ar ôl swper neithiwr.

'Pawb yn iawn efo chdi?' dwi'n gofyn. Dwi'n gwbod yn iawn mai 'ydan diolch' ddeudith hi, a tasa hi'n deud unrhyw beth arall mi fyswn i'n llythrennol yn byta'r flanced dwi ar ganol 'i gweu a bob het a fu gen i erioed.

'Ydan diolch,' medda hi, heb arlliw o arwydd ei bod hi'n gwbod yn iawn 'mod i'n gwbod yn iawn bod 'i mab hi'n sgwandro pres ar gwrw a dyn a ŵyr be arall yn y coleg lle mae o 'di bod ers blynyddoedd mawr achos ma raid bod o'n tynnu at 'i ddeg ar hugain. Welish i fo un tro pan oedd o 'nôl fyny 'ma â'n llygaid 'yn hun drwy ffenest am bedwar o gloch y bore yn cyrraedd adra heb goes odano fo. Fo a ryw hogyn arall. Ddim fel 'a fydda bobol yn 'u hoed a'u hamser yn bihafio tasa ganddyn nhw ddim problem.

Ond neith hi ddim cyfadda. Dwi hannar ffansi dangos iddi 'mod i'n gwbod, ond gwadu neith hi wedyn hefyd. Tydi rhei pobol ddim yn medru wynebu'r gwir. Ac mae gymaint o drafferthion efo'r drygs 'ma'r dyddiau hyn. Beryg 'i fod o'n mela efo'r rheini hefyd, achos yr un ffor' ma drygs yn gafael ynoch chi ag y mae'r ddiod yn gafael ynoch chi: waeth i chi un fwy na'r llall. Ac mae hithau a'i photeli yn y bocs ailgylchu'n deud hynny hefyd, llathan o'r un brethyn ydi o – bechod dros y mab 'ran hynny, doedd ganddo fo ddim dewis. Mae o yn y gwaed. Clefyd sy'n llifo o genhedlaeth i genhedlaeth ydi o, fatha crefydd.

Roedd gan 'y nghenhedlaeth i ddigonedd o bethau eraill i

feddwl amdanyn nhw. Mi gadwodd y rhyfel yr hogiau ifanc i gyd allan o drwbwl. Falla mai rwbath yn debyg i fab hon drws nesa fysa Wili-John 'y nghefndar wedi bod tasa fo ddim wedi cael rhyfel i'w gadw fo ar y llwybr cul. Mi gafodd ddwy flynedd o uffarn yn Japan, a fedra i byth faddau iddyn nhw am hynny. Bob tro dwi'n gweld hon drws nesa yn 'i hen Honda, dwi'n cofio sut olwg oedd ar Wili-John 'y nghefndar pan ddaeth o adra yn fforti-sics. Fedrwn i gyfri bob un o'i asennau fatha tasa fo wedi llyncu basged.

"Dach chi isio rwbath o Asda?' hola hon rŵan. 'Fydda i'n mynd lawr yn munud.'

'Dow, dwi'n oreit,' medda fi. Torri 'nhrwyn i sbeitio 'ngwyneb. Well na gadael i hon feddwl mai hi 'di'r Fam Teresa. (Dyna fo! Theresa May! Methu'n lân â chofio neithiwr 'rôl i *Question Time* orffen, a finnau wedi ffwndro gymaint efo'r gweu. Dwi'n teimlo fatha'i weiddi fo'n uchel i hon gael clywed...)

"Dach chi'n siŵr?' A mae hi'n codi ar ei thraed, i fynd i'r gegin i edrych drwy 'nghypyrddau i. Mae hi wedi dechrau gneud hynny yn ddiweddar, a gas gin i fo. Trwyn trwyn trwyn.

'Wel, sbia di, 'ta, os nad w't ti am gymyd 'y ngair i.'

'Ddim 'ych amau chi ydw i,' medda hi wrth agor y ffrij, 'ddim ond neud yn siŵr.'

Sgin i'm affliw o syniad be sy gen i'n tŷ. Be ydi'r otsh? Mae 'na bob amser rwbath fedrith rywun 'i neud i gadw corff ac enaid ynghyd. Dwi a 'nghenhedlaeth wedi arfer. Adeg rhyfel mi fydden ni'n...

'Fysa well i fi ddod â 'chydig o lefrith... mi fedrech neud hefo 'chydig o fenyn... a ma'r marmalêd i'w weld yn go isel... be am wyau? Fyswn i'n gallu dod â hannar dwsin, 'dach chi'n licio wy wedi'i ferwi... becyn... a 'chydig o gaws...'

Ia, ia, deud di. Chdi sy'n gwbod. Blydi gwbod bob dim.

'Ia, iawn,' dwi'n cytuno. 'Lle ma 'mhwrs i i fi gael dy dalu di?'

'Mi neith wedyn yn iawn,' medda hi.

'Na, na, raid i mi gael dy dalu di gynta,' medda fi wrthi. Dyn a ŵyr be fysa hi'n ddeud wrth bobol eraill yn 'y nghefn i taswn i'n anghofio'i thalu hi.

Pwrs pwrs...

'Chwilio am 'ych bag 'dach chi?' Iesu, rho jans i fi! Isio'i bachau am 'y mhres i...

'Yn gornel, dan y bwrdd bach,' medda hi. Gwbod bob dim. Ma'i llygada hi 'di bod arno fo ers iddi ddŵad i mewn, mi fentra. Dyna maen nhw i gyd isio, 'u bachau ar 'y mhres i.

'Drychwch, gewch chi 'nhalu i wedyn,' medda hi wedyn, yr Iesu-grist-bach ag ydi hi. 'Fydd hi'n haws unwaith fyddwn ni'n gwbod faint fydd o.'

Ond dwi'n gwthio papur deg punt i'w dwylo hi. Fedra i ddim godda'i help hi, a dwi isio iddi fynd. Felly dwi'n teimlo heddiw, fedra i ddim help. Dwi bron yn naw deg, mae gen i berffaith hawl i fy hwyliau drwg.

'Diolch i chdi,' dwi'n ddeud, a rhoi jest digon o siwgr ar fy llais i neud iddi amau tybed ydw i'n bod y mymryn lleia i gyd yn sarcastig. 'Dwn i'm lle byswn i hebdda chdi.'

'Dim o gwbl,' medda hi, dan wenu'n llydan o un foch goch i'r llall. 'Wela i chi'n y munud.'

A'r eiliad nesa, mae hi wedi mynd, a'r hen dŷ 'ma'n ddistaw ddistaw, a'i hen waliau'n gwatwar yn fyddarol. Yr hen ast ddwl, sgin ti ddim syniad be sy'n dda i ti. Sgin ti ddim syniad sut i helpu dy hun. Drwy 'mhen, o hyd, nes bod raid i mi roi'r teledu ymlaen i drio diffodd yr holl edliw.

Dwi'n codi 'ngweu, a threulio chwarter awr yn ei ddatod

nes bod modfedd yn llai ohono fo na phan ddechreuish i. Pwy erioed glywodd am neb yn gweu am yn ôl?

Gweu sanau fysan ni amser rhyfel. Chafodd Wili-John ddim sanau am 'i draed am ddwy flynedd gyfan. Ac nid jest 'u gweu nhw, ond 'u cyweirio nhw hefyd, am mai trwsio bob dim fysan ni'n 'i neud yn y dyddiau hynny, ddim prynu. Clybiau gweu, dyna oedd 'na, yn dre, a phawb yn siarad siarad yn hapus braf uwch 'u pedair gwaell, fatha tasa hi ddim yn rhyfel o gwbl. Pawb ond y mamau wrth gwrs; fysan nhwythau'n siarad siarad hefyd, ond cuddiad rwbath oedd 'u siarad nhw. Siarad i guddiad twll fatha cyweirio hosan.

Theresa May. Dyna fo, dyna fi wedi pasio test y *Daily Post*, nhw â'u 'First Signs of'. Fydd raid i fi gofio dangos iddi hi 'mod i'n gwbod, jest rhag ofn 'i bod hi wedi'i ddarllen o hefyd. A May ydi Mai. Fatha Mai fach Susan. Mai rwbath, 'ta rwbath Mai 'di honno? Mai, be bynnag. Yr unig Gymraeg gafodd y fechan gan Susan, ryw enw tila, bechod, a hitha mor dalentog.

Siŵr bod Susan wrth 'i bodd efo Brexit, a hitha'n byw yn 'i ganol o.

Nath honna drws nesa ddeud 'i bod hi'n fis Mai, dwi'n reit siŵr. Mae'n bryd iddi gynhesu.

# 2

'MEDDWL FALLA FYSA well i mi roi gwbod i chi.'

Gwnaethai Suzie y synau iawn i gyd, mi wyddai hynny. Diolchodd i Beth, sawl gwaith, nes ymylu ar fod yn ormodol. Ond *roedd* hi'n ddiolchgar, ac roedd hi am i Beth wybod hynny. Hi oedd yno, drws nesa i'w mam, yn cadw llygad. Do, mi wnaeth y synau iawn, er mor anodd bellach, sylwodd, oedd eu gwneud nhw yn Gymraeg. Gwyddai na fyddai'r iaith byth yn ei gadael, ond roedd 'na rwd difrifol arni, yn enwedig o gael galwad ffôn o nunlle ar bnawn diniwed braf.

Doedd fawr ddim o'i chynnwys ar yr wyneb yn ddigon i godi braw ar rywun. 'Jest meddwl 'sa well i chi wbod bod 'ych mam 'chydig bach yn ddryslyd y dyddiau yma, sy fawr o ryfadd a hithau bron yn naw deg wrth gwrs. A ma'i wedi colli 'chydig bach o bwysau, dim byd mawr. Jest meddwl dyliach chi gael gwbod.'

Dan yr wyneb, dan orchudd y geiriau diniwed, roedd y braw. Ceisiodd Suzie feddwl ai'r Nadolig cyn hwn a aeth heibio fuodd hi 'adre' ddiwethaf, neu'r Nadolig cyn hwnnw. Ei mam ddwedodd wrthi am beidio trafferthu dod y llynedd, nad oedd hi am wneud dim o'r ŵyl, a waeth i Susan bicio draw am y dydd pan fyddai'r tywydd ychydig bach yn gleniach ddim. A Suzie fel arfer wedi neidio at y llafn bach o oleuni gobeithiol a olygai na fyddai'n rhaid iddi fynd drwy'r mosiwns a dioddef deuddydd o gwmni ei mam nad oedd ronyn o'i heisiau hi nac Aito o dan ei tho am ddwy noson gyfan, deuddydd o gwmni ymwthiol, defodol ei gilydd. Gwneud y peth iawn. Ticio bocsys.

Na, nid y geiriau eu hunain, ond yr anwybod oddi tanynt oedd yn ei dychryn.

Plygodd Suzie wrth y gamfa i'r cae lle roedd y llwybr yn gwyro oddi ar y lôn fach rhwng eu cartref a phentref Comberton. Rai camau cyn hynny, roedd y glesni wedi fflachio arni, a'i thwyllo i gredu mai clychau glas oedd yno, ond go brin y gwnâi'r rheini wâl iddyn nhw'u hunain ar ymyl cae mawr llydan ar wastadeddau Swydd Gaergrawnt. Ac roedd hi'n llawer rhy fuan ddiwedd Ebrill i weld Glas yr Ŷd yn ei flodau, oedd hi ddim?

Ie, dyna ydoedd. Clwstwr o dri blodyn glas wedi agor yn llawn yn yr haul a ddilynodd y glaw dros yr oriau cynt, yn chwarae mig â'r barrug oedd yn dal i fygwth ambell fore. Tynnodd Suzie ei llyfr nodiadau o boced ei jîns, a nodi nifer a lleoliad y planhigion. Dyma'r cynharaf iddi weld Glas yr Ŷd yn ei flodau ar y llwybr hwn rhwng y pentref a Gwynedd Cottage.

Sythodd drachefn wrth gadw'r llyfr nodiadau, ac anadlu'n ddwfn. Bythefnos yn ôl, credodd na fyddai hi byth yn gallu mwynhau'r troeon bach hyn, y teithiau bach hwnt ac yma ar draws ac ar led y sir a oedd wedi'i mabwysiadu, y sir brydferthaf yn Lloegr gyfan yn ei barn hi, barn a oedd ymhell o fod yn ffasiynol. Cofiai sut y cwympodd mewn cariad â'r ffeniau a'r corstiroedd eang, mor wahanol i Eryri fynyddig, ac eto, roedd rhannau o'r ardal yn ei hatgoffa o'i blynyddoedd cynnar, a harddwch coediog glannau afon Cam yn debyg i rai o afonydd ei phlentyndod ar raddfa gymaint yn fwy.

Daliai ei hun yn aml yn meddwl faint yn hwy roedd hi wedi byw yn y fan hon, yn y tŷ a fu'n gartref iddi hi ac Aito ers cyn i'r plant gael eu geni. Cyfarfu ag Aito yn y coleg, yn fuan iawn wedi iddi gyrraedd y ddinas ddieithr, yn dal i fyrstio â balchder iddi lwyddo i gyrraedd Caergrawnt o gwbl, ond eisoes wedi dechrau teimlo'n unig. Câi hi'n anodd cymysgu a gwneud ffrindiau, yn enwedig o ystyried pa mor wahanol oedd pawb iddi hi yn y dyddiau hynny, yr acenion dieithr a wnâi iddi deimlo'n israddol. Cofiai ymarfer ei Saesneg yn nrych bach y cwpwrdd o stafell ymolchi yn ei *digs*, i geisio cael gwared ar ymylon garwaf ei hacen ogledd Cymru letchwith a fynnai ymwthio fel wyneb y graig i'r golwg i'w baglu.

Gallai chwerthin ar y fath ffwlbri heddiw. Os rhywbeth, roedd ei hacen gynhenid wedi dod yn ôl fwyfwy dros flynyddoedd magu'r plant wrth iddi geisio meithrin rhyw ymdeimlad o berthyn i Gymru ynddyn nhw. Efallai mai i Aito roedd y diolch am hynny. Roedd o bob amser mor falch o'i wreiddiau, nes codi tamaid bach o gywilydd arni o bryd i'w gilydd. Byddai Aito yn treulio oriau'n dysgu Siapaneg ei famiaith – neu os nad ei famiaith o, mamiaith ei fam – i'r ddau yn lle darllen stori yn y nos, neu ar deithiau cerdded ar y penwythnos. Mi lwyddodd yn eithaf gydag Ishi Mai: gallai hi gyfri i gant a chyfarch Ayaka mewn Siapaneg heddiw a byddai'n gwneud hynny'n aml.

Daeth y gnofa a oedd wedi dod mor gyfarwydd iddi'n ddiweddar yn ôl i'w bol. Byddai mam Aito yn naw deg naw ymhen y mis, ac roedd hi'n dal i fod yn iach fel cneuen er ei bod hi bellach yn byw o dan yr un to â nhw. Pa gyfiawnder oedd i rywbeth felly? Y fam mewn gwth o oedran, ond mor iach, a'r mab...

Ddylai neb orfod claddu eu plant, cofiodd Suzie yn Gymraeg. Dyna oedden nhw'n ei ddweud 'nôl adre yng Nghymru, un o'r ystrydebau y byddai pawb yn eu hyngan mewn amgylchiadau anorfod.

Bythefnos yn ôl, roedd Dr Maydree wedi galw, ac mi wyddai Suzie wrth weld y car yn dod i fyny'r lôn at Gwynedd Cottage nad oedd y newydd yn mynd i fod yn dda. Llais ar ben arall y lein fyddai'n rhoi newydd da, nid ei gyrchu yn y car o Gaergrawnt.

Roedd yna opsiynau wrth gwrs: mae yna opsiynau bob amser. Llawdriniaeth arall, neu adael i natur fynd ei ffordd ei hun. Un ffordd oedd i natur fynd wrth gwrs, ac er mor wir oedd hynny i bawb, roedd hi'n benderfynol o gyrraedd yno'n drybeilig o gyflym yn achos Aito.

Gofynnodd Aito am yr ystadegau. Roedd o'n rhyfeddol o ddigyffro. Prin y gallai Suzie weld unrhyw fraw ar ei wyneb. Ond roedd o wedi mynd drwy lawer o'r camau hynny'n barod, wedi wynebu pethau nad oedd o'n fodlon eu cyfaddef wrthi hi hyd yn oed.

Tynhaodd gwefusau minlliwiog Dr Maydree yn wên fach dynn. Anodd dweud. Ods gwell nag ennill y loteri? gwamalodd Aito a chwerthin i wneud i Dr Maydree a Suzie deimlo'n well.

Chwerthin wnaeth Dr Maydree hefyd, a chael ei gadael oddi ar y bachyn rhag gorfod rhoi rhyw ystadegau diystyr ar y cyfan, ond trybeilig o isel o ba bersbectif bynnag y byddai rhywun yn ceisio eu dadansoddi. Cysurodd Aito wedyn na fyddai'n dioddef.

Tu mewn iddi, roedd Suzie'n gweiddi, yn sgrechian ar Aito i ymladd, i fynnu'r union ystadegau, a gweld goleuni yn y ffigurau bach isel yn lle gweld tywyllwch y gweddill mawr du. Wedi'r cyfan, roedd wedi ymladd hyd yn hyn, a hwythau wedi mentro gobeithio, wedi meiddio ei roi y tu ôl iddyn nhw, a dechrau edrych ymlaen at ymddeoliad hir a phleserus yn teithio Ewrop a gweddill y byd ar ei bensiwn a oedd yn bell o fod yn bitw, a mwynhau'r wyrion a ddôi pan fyddai – nid os byddai! – Gethin ac Ishi Mai yn dechrau dangos yr arwydd lleiaf o fod eisiau bwrw gwraidd, magu teulu. Roedd hi'n hen bryd, cadwai eu hatgoffa, a'r ddau dros eu pymtheg ar hugain.

'Forty is the new thirty' oedd dadl Ishi Mai o hyd, fel pe bai ei hwyau'n dilyn ffasiwn yr oes ac yn darllen proclamasiynau *Vogue* a *Cosmopolitan*, neu'r cylchgronau mwy *arty* a soffistigedig roedd hi'n eu darllen.

Dringodd Suzie i ben y gamfa olaf ac oedi yno fel y gwnâi bob tro wrth weld Gwynedd Cottage yn gwenu arni dan gysgod y dderwen fawr. Cofiodd eto y tro cyntaf y daethai Aito â hi i'w weld, ddegawdau yn ôl bellach. Roedd wedi addo tŷ yn y wlad iddi a hwythau wedi bod yn rhannu'r fflat yng Nghaergrawnt ers chwe blynedd. Doedd ganddi ddim syniad sut y llwyddai'r ddau i dalu'r morgais ac yntau ond ar gyflog cyw-ddarlithydd yn y dyddiau hynny, a hithau'n gwneud y nesaf peth i ddim yn ysgrifennu colofnau natur i ba bapur bynnag a'u cymerai. Ond roedden nhw wedi llwyddo, yn gymharol hawdd yn y diwedd wrth i Aito godi drwy rengoedd y coleg.

Erbyn hyn, rhyfeddai Suzie at ba mor barod roedd hi wedi bod i dderbyn popeth a ddôi heb ei werthfawrogi'n llawn, heb ddiolch yn iawn amdano.

Bythefnos yn ôl, roedd hi wedi sylweddoli, fel pe bai bricsen wedi'i tharo ar ochr ei phen, pa mor dda roedd bywyd wedi bod iddi, ei bod hi wedi cyrraedd canol ei seithfed degawd heb ofid mawr i darfu arni, a nawr...

Nawr, roedd hi'n rhy hwyr. Roedd ei hapusrwydd ar

ben cyn iddi sylwi pa mor ddwfn roedd o wedi bod mewn gwirionedd.

A'r alwad ffôn brynhawn ddoe yn ei llusgo i gofio nad yw pethau'n aros yn llonydd yn unman, ddim yn Gwynedd Cottage nac yng Ngwynedd. Gwyddai yng nghefn ei meddwl y dôi dydd o brysur bwyso y naill ffordd neu'r llall, ac na wnâi taith i Gymru ddwywaith dair y flwyddyn a galwad ffôn bob wythnos neu ddwy mo'r tro mwyach. Ac roedd y diwrnod hwnnw wedi cyrraedd.

'Meddwl dyliach chi gael gwbod,' oedd Beth wedi'i ddweud ar y ffôn. Ond roedd cymaint yn fwy iddi na hynny.

Fel arfer wrth nesu at y tŷ, câi Suzie ei llenwi â theimlad braf y câi osod y tegell mawr haearn ar yr Aga – dyheadau bach ystrydebol ond dyfnach na dim – a thynnu ei llyfr nodiadau o'i phoced wrth iddi estyn y pad papur mawr, a throsi ei nodiadau'n rhyddiaith estynedig i blesio'i chalon wrth iddi ail-fyw ei theithiau.

Heddiw, gwyddai ei bod hi wedi osgoi'r anorfod yn ddigon hir, ac y byddai'n rhaid iddi godi'r ffôn ar ei mam i geisio gweld drosti ei hun faint yn fwy o ofid oedd gan fywyd i'w daflu ati.

# 3

'H EN LAW ETO...' meddai Beth yn y drws, cyn sylweddoli bod gan Hannah-Jane y ffôn wrth ei chlust wrth iddi agor y drws â'i llaw arall.

Gwnaeth yr hen ddynes fosiwns arni i ddod i mewn, a gwnaeth Beth fosiwns yn ôl – 'na, mae'n iawn, mi ddo i 'nôl' – ond mosiwns Hannah-Jane enillodd, ac aeth Beth i mewn i'r tŷ.

Doedd dim golwg gorffen ar y sgwrs ffôn. Ochneidiodd Beth yn ddistaw, a throdd Hannah-Jane i edrych arni.

Clustiau fel ci ganddi pan nad ydw i eisiau iddi glywed, meddyliodd Beth, a damio: dim ond galw yn y drws i weld a oedd Hannah-Jane am iddi ddod â rhywbeth 'nôl o Asda wnaeth hi, iddi gael mynd ar frys, a dod 'nôl cyn i Dafydd gyrraedd. Go brin y byddai hi angen dim byd, a Beth wedi dod â llond bag o siopa iddi ddydd Gwener. A rŵan, rhaid aros iddi orffen ar y ffôn, pryd bynnag fyddai hynny. Roedd yn gas gan Beth feddwl am Dafydd yn loetran ar y stryd yn aros iddi ddod yn ôl o Asda. Mi fyddai hynny'n siŵr o wneud i wisgars Hannah-Jane grynu, a chreu pob math o straeon.

A rhai ohonyn nhw'n wir, meddyliodd Beth, wrth deimlo ias fach o gynhesrwydd yn codi drwy ei hymysgaroedd.

Daliai'r hen wraig i siarad, ac os sylwodd hi ar Beth yn gwenu wrth feddwl am Dafydd, nid oedd yn ddigon i'w thynnu hi oddi ar drywydd ei sgwrs.

'I be 'dach chi isio dod? 'Dach chi byth yn dod yn ganol tymor fel arfer.'

Susan. Ffraeo rhwng y ddwy – nid dyma'r tro cynta i Beth fod yn dyst i hynny. A'i bai hi oedd o'r tro yma, sylweddolodd, wedi iddi stwffio'i thrwyn i mewn a ffonio Susan. Byddai unrhyw ferch arall wedi ffonio'n syth, doedd bosib. A hon wedi gadael i ddiwrnod basio cyn gwneud. Nid y dylai Beth gymryd gair roedd Hannah-Jane yn ei ddweud am ei merch fel gwir glân gloyw, fwy nag unrhyw beth arall a ddywedai am neb, ond, wel, a oedd 'na rywle llawer pellach y gallai Susan fod wedi dianc iddo na'r Caergrawnt 'na rhag gorfod byw'n rhy agos at ei mam?

Dim ond nhw'u dwy oedd 'na wedi'r cyfan: ni chofiai Beth i Hannah-Jane sôn am dad Susan erioed, er bod 'na sïon yn y dre slawar dydd mai ryw foi parchus yn capel Annibyns oedd o, ond ni fu ei theulu hi erioed yn rhai i dywyllu drws capel, felly ni wyddai faint o stretsh oedd i'r stori erbyn iddi gyrraedd eu clustiau di-ffydd nhw. Doedd Beth ddim yn siŵr a oedd neb yn gwybod yn iawn, yn cynnwys Susan ei hun.

Be wnâi Hannah-Jane pe bai Beth yn gofyn y cwestiwn ryw ddiwrnod, rhwng gwneud sylwadau am y tywydd ac anelu am Asda i nôl torth i'r hen fursen â hi? Hei, Hannah-Jane, pwy roth gnoc i chdi?

'Busnesa, dyna w't ti isio, dŵad i fama i drwyna,' meddai Hannah-Jane wrth ei merch ar ben arall y ffôn. 'Be sy 'di dŵad â hyn ymlaen rŵan? Oes 'na rywun 'di bod yn deud rwbath?'

Syllodd yn hir ar Beth, nes gwneud iddi wrido. A oedd Susan am ei bradychu? Roedd hi wedi gofyn iddi ei chadw hi allan o bethau ddoe, rhag creu trafferth. Nid Susan oedd yn gorfod byw gyda hi.

'Iawn. Ty'd. Neith les i ti ddŵad be bynnag. Dwi'n fam i chdi wedi'r cyfan.'

A thynnodd y ffôn oddi wrth ei chlust ac edrych arno cyn

gwneud ystum ddramatig o wthio'i bys o bellter at y botwm i ddiffodd yr alwad. Nid dyma'r tro cyntaf i Beth ei gweld yn torri galwad ffôn â'i merch. Ond doedd hi erioed wedi gweld y fath wylltineb yn llygaid Hannah-Jane wrth iddi wneud.

'Dwn i'm be gododd arna i i'w chadw hi, 'swn i 'di medru ca'l gwarad arni lawn gyn hawsed,' hisiodd Hannah-Jane wrthi ei hun yn llawn cymaint ag wrth Beth gan iddi godi ei phen wedyn a sylwi ar Beth yn rhythu arni.

Rhaid 'mod i heb glywed yn iawn, meddai Beth wrthi ei hun. Neu heb ddeall yn iawn beth oedd hi'n drio'i ddweud.

'Jest meddwl 'sach chi isio rwbath o Asda,' dechreuodd Beth bapuro dros yr hyn roedd ei chymdoges newydd ei ddweud. Câi adael y geiriau tan wedyn i'w dadansoddi yn ei chwmni ei hun. Roedden nhw'n rhy hyll i feddwl amdanyn nhw rŵan.

'Nadw, mi a' i yno'n hun fory.'

'Ma'n bell...' Rhy bell iddi gerdded. Fentrodd hi ddim mor bell ag Asda ers misoedd bwy gilydd ac roedd hi a Beth yn gwybod hynny.

'W't ti'n meddwl na fedra i gerad hynna bach?'

'Na, na, mond cynnig.'

'Mae pawb yn meddwl 'mod i'n gripil. Dyna mae pawb yn 'i feddwl. Munud w't ti'n troi'n hannar cant, mae pawb yn meddwl dy fod ti'n colli dy farblis, dechra gweiddi yn dy glust di fatha tasa chdi'n fyddar fel postyn a hannar call a dwl. Tria beidio byw dros dy hannar cant, dyna dwi'n ddeud. Sbario'r holl ofid.'

Hanner cant? Nefi godeifa, meddyliodd Beth, gan wenu i guddio'i braw.

'Ma'r cyfan ar ben pan w't ti'n hannar cant.'

'Peidiwch wir, dwi dros hynny'n barod...'

Ond doedd Hannah-Jane ddim yn gwrando arni. Carlamai ar gefn ei cheffyl. 'Honna! Swanio hi ffwrdd i ben draw byd, a meddwl 'i bod hi'n gallu'n rheoli fi o fanno. Gweld 'i chyfle mae hi.'

O dduw, dwi ddim eisiau clywed hyn, meddyliodd Beth a throi i geisio torri'n rhydd o gyrraedd bustl ei chymdoges.

'Gweld 'i chyfle am 'chydig bach mwy o bensiwn. Fedrat ti feddwl bod ganddi ddigon a'r gŵr 'na sy ganddi, be 'di'i enw fo, yn broffesyr.'

'Aito.'

'Be?'

'Aito. Dyna ydi'i enw fo.'

'Ia. Dyna ddeudish i. Fforinyr.'

'Misus Jones!' Saethodd y syndod o geg Beth. Gwyddai nad oedd yr hen ddynes yn dalp o uniondeb gwleidyddol, ond chlywodd hi erioed mohoni'n bod yn hiliol nac yn lladd ar ei mab-yng-nghyfraith fel hyn o'r blaen.

'Duw, gormod o gau ceg sy 'na. Faddeua i byth iddyn nhw am be naethon nhw i Wili-John 'y nghefndar.'

'Nath Aito ddim byd i'ch cefndar chi,' dechreuodd Beth, 'ac mae o'n fab-yng-nghyfraith i chi...'

'Be w't ti'n wbod? Isio dŵad yma i fusnesa maen nhw, hi a fo. "Poeni amdana i"! Pam, neno'r mawredd? Pam ma'i'n poeni rŵan ar ôl dyn a ŵyr faint? Mae hi'n byw yn Llundain ers ugain mlynedd. I be mae hi'n dechra poeni rŵan?'

'Caergrawnt.'

'Ia. Dyna ddudish i.'

Ers yn bell dros ddeugain mlynedd, mae'n siŵr, ond âi Beth ddim i ddadlau am hynny. Cododd i fynd, a'i bol yn troi. 'Os nad ydach chi isio dim byd...'

'W't ti methu witiad i ada'l, w't ti?'

'Wel, dwi'n goro...' dechreuodd Beth a methu meddwl am esgus pam oedd raid iddi fynd a fyddai'n cuddio'r gwirionedd mai eisiau cyrraedd 'nôl cyn i'w Dafydd ddiallwedd gyrraedd oedd hi.

Yn ei phen, aeth Beth drwy'r rhestr o ddisgrifiadau a fyddai gan Hannah-Jane i'w cynnig am Dafydd pe bai hi'n gwybod am ei fodolaeth: *fancy man*, *bit of fluff*, dyn, a hitha-yn-'i-hoed-a'i-hamser.

'Dwi'n goro,' meddai eto. 'Achos mae gen i gawl ar y tân.' Ysbrydoledig, Beth, canmolodd ei hun.

Trodd Hannah-Jane ei thrwyn a gwneud ceg gam, yn hanner ystyried dadlau, a gwyddai Beth nad oedd hi'n ei chredu. Haws ganddi gredu bod Beth yn mynd am na allai oddef rhagor o'i chwmni hi.

A'r tro hwn, meddyliodd Beth, roedd y bitsh ragfarnllyd yn llygad ei lle.

*

Nid felly oedd pethau'n arfer bod. Byddai Beth wrth ei bodd yn gwrando arni, yn disgrifio'r hen dre ymhell cyn ei dyddiau hi. Yn sôn am dre nad oedd yn debyg i heddiw, am bobol rif y gwlith dros y degawdau, am gymdeithas a chymuned yn llawn o bob dim, cymeriadau lliwgar, bob un yn wahanol, fel lliwiau'r enfys. A'r siopau oedd yno, yn llawn o bob dim a allai fod ei eisiau neu ei angen ar neb, gyda'u ffenestri'n orlawn, a'u drysau agored yn arllwys eu nwyddau allan i'r pafin. A phawb yn dre allan o'u tai, yn berchnogion balch y stryd fawr, a'r strydoedd eraill i gyd: y ceir oedd y pethau dieithr, y rheini oedd yn arfer gorfod cael caniatâd y cerddwyr i symud, nid fel arall.

Cragen oedd dre bellach, yn llawn o bobol nad oedden nhw'n ei chofio hi'n ddim byd ond cragen.

Byddai Beth yn gwrando ar Hannah-Jane am oriau yn mynd drwy'i phetha, a rhywbeth yn newydd bob tro, er y byddai'n clywed yr un straeon weithiau. Ond fyddai hi byth yn blino, am ei bod hi eisiau cofio'r pethau am y dre, am sut oedd hi, a'i pherthnasau ei hun yn dod i mewn i un neu ddwy o'r straeon fan hyn fan draw.

Prin y cofiai'r rhan fwya'n glir iawn er hynny: straeon am y tri degau ac adeg rhyfel ac adeg rasiwns wedyn, dechrau'r pum degau. Prin y byddai straeon Hannah-Jane yn cyffwrdd diwedd y pum degau a'r chwe degau, am y byddai honno'n adeg wahanol iddi, yn adeg magu Susan, ac roedd Beth yn gwybod bellach na fyddai Hannah-Jane yn sôn rhyw lawer am hynny.

Cofiodd am eiriau ffiaidd Hannah-Jane am Susan. A oedd hi'n bosib i fam yngan y fath beth? Gweddïai nad oedd Susan erioed wedi clywed geiriau tebyg o geg ei mam. Gwyddai Beth iddi adael yn ddeunaw ac na ddaeth hi byth yn ôl i aros am fwy na deuddydd ar y tro.

Ond roedd deuddydd yn rhywbeth, a diwrnod fan hyn fan draw ar hyd y flwyddyn yn dangos nad oedd hi wedi troi ei chefn yn iawn. Byddai Hannah-Jane yn llawn o falchder am yr wyrion na fyddai hi bron byth yn eu gweld, a'u lluniau'n addurno pob arwyneb gwastad yn y tŷ, yn enwedig Ishi Mai.

Yn Asda, ychwanegodd Beth dorth fach wen i Hannah-Jane at ei neges ei hun wrth iddi gofio na ddaeth â bara iddi ers deuddydd, erbyn meddwl, ac roedd hi'n eithaf siŵr y byddai angen torth beth bynnag a ddywedai'r hen wraig. Estynnodd am botel o jin a dwy botel wydr neis o donic da. Gorau po leiaf o blastig. Meddyliodd mor braf fyddai jin bach heno, a Dafydd â diwrnod i ffwrdd o'r gwaith fory am unwaith.

Wrth feddwl am hynny, estynnodd bwdin parod oddi ar y silffoedd oer. Câi'r deiet aros tan i Dafydd fynd yn ôl i Wrecsam, er mai eisiau cysur fyddai Beth fel arfer yn ystod yr wythnos wrth weld ei golli. Yn hanner cant oed, barnai Beth y dylai wybod beth oedd amynedd erbyn hyn, ond teimlai fel hogan fach eisiau i bethau ddigwydd ar unwaith, a doedd Dolig byth yn dod.

Ofn ei golli oedd hi, mi wyddai hynny'n iawn.

Pe bai Hannah-Jane yn gwybod beth oedd yn mynd ymlaen o dan ei thrwyn hi... a daliodd Beth ei hun yn gwenu fel giât wrth y cownter, nes gwneud i'r ferch wrth y til edrych arni'n rhyfedd.

Tu allan i Asda, cafodd ysgytwad wrth weld hogan fach, na fedrai byth fod yn hŷn na phymtheg, yn eistedd wrth y drysau agor-eu-hunain, gan estyn ei llaw ati.

'Any spare cash...?' gofynnodd i Beth, a gwnaeth y sioc iddi gerdded ymlaen am rai camau rhag i'r ferch sylwi ar yr olwg ar ei hwyneb.

Ond fedrai hi ddim o'i hanwybyddu. Dyma'r tro cyntaf erioed iddi weld neb yn dre yn estyn eu dwylo, boed yn ferch ifanc neu'n unrhyw un arall. Oedd, roedd hi wedi gweld rhywrai'n cysgu ar y meinciau wrth y bysus sawl gwaith, ond llwyddasai i argyhoeddi ei hun mai rhai oedd heb gyrraedd man a alwent yn gartref ar ôl noson ar y cwrw oedd y rheini, nid pobol ddigartref go iawn, a doedd yr un ohonyn nhw erioed wedi gofyn iddi hi am arian. Palodd yn ddwfn i'w bag, yn teimlo'n wirion, ond yn bustachu i ddod o hyd i'w phwrs. Pa mor anodd fedrai hynny fod? Ac estynnodd y darnau arian oedd ynddo, gan fawr obeithio bod punnoedd yn ei ganol, ond doedd ei sbectol gweld-yn-agos ddim ar drwyn Beth, felly ni fedrai ond gobeithio ei fod o'n ddigon.

Beth oedd digon? holodd ei hun.

Yn *dre*, meddyliodd wedyn. Yn dre *ni*!

★

'Meddwl 'sach chi'n medru neud efo torth,' meddai Beth ac estyn cwdyn y bara sleis iddi.

'Na, ma gin i 'gonadd o fara,' medda hi'n sychlyd.

Dilynodd Beth hi i mewn beth bynnag, a mynd yn syth i'r gegin, a chodi caead y bin bara, lle roedd 'na grwstyn sych yn pydru. Gostyngodd y cwdyn i mewn iddo. Sylwodd Hannah-Jane ddim, neu os gwnaeth, roedd hi wedi anghofio'i phrotest.

'Nesh i ddeud bod Susan 'di ffonio?' holodd.

'Do, o'n i yma,' atgoffodd Beth hi.

'Na... heddiw,' dadleuodd. 'Mi ffoniodd hi gynna.'

Gadawodd Beth iddi fynd drwy'r sgwrs ffôn fel pe na bai ganddi unrhyw syniad amdani. Penderfynodd na fyddai hi'n eistedd. Hanner awr wedi tri roedd Dafydd wedi'i ddweud, ac roedd hi wedi hynny bellach. Edrychodd ar y cloc ar y silff ben tân yn dangos hanner awr wedi naw, ac yn dal i dician yn ei ddimensiwn amser gwahanol.

Yna, clywodd sŵn car yn stopio tu allan.

'Reit, gwrandwch, Hannah-Jane, mi wela i chi'n bora, ocê? Sna'm isio chi ddod i drws, mi dynna i o'n sownd tu ôl i mi.'

Ond roedd Hannah-Jane wrth ei sodlau.

'Rywun wrth ddrws dy dŷ di,' medda hi'n bigog wrth sbio ar Dafydd yn ddigywilydd. Cododd Dafydd ei law arni. Roedd o'n ei nabod hi'n eithaf da bellach drwy Beth.

'Dyn,' meddai Hannah-Jane, fel pe na bai Beth erioed wedi gweld un o'r blaen ac angen cadarnhad mai bod gwrywaidd a safai o'i blaen ar y pafin.

Cerddodd Beth ato'n ara deg i roi cyfle i Hannah-Jane gau ei drws os oedd ganddi owns o gywilydd yn perthyn iddi. Ond ar ôl iddi ei gyrraedd, trodd a gweld Hannah-Jane yn dal yno ar garreg ei drws yn gwenu'n fingam. Cododd yr hen wraig ei llaw ar y dyn dieithr. Gwyddai Beth yn iawn mai be gâi hi'r tro nesaf y gwelai hi fyddai ensyniadau am 'bobol yn cuddiad petha oddi wrtha i', heb ddweud dim byd ar ei ben wrth gwrs.

Gwenodd Dafydd yn llydan ar Beth, heb gymryd sylw o'r hen wraig mwyach, a chymryd y bag siopa o'i llaw.

'Jin...' gwenodd wrth gymryd cipolwg ar ei gynnwys. 'Nath hi ddim gweld y botel gobeithio.'

'Motsh gen i,' meddai Beth dan ei gwynt. 'Stwffio hi, ffwcsan wirion.'

Ac roedd hi'n hanner ei feddwl hefyd. Cododd Dafydd ei aeliau arni.

'Fysa chdi ddim yn credu be welish i yn dre,' meddai Beth wedyn wrth roi ei hallwedd yn y drws. 'Yn Asda...'

Byddai'n dweud wrtho am y ferch ifanc. Ond penderfynodd na fyddai'n dweud wrtho am eiriau Hannah-Jane am Susan.

Ddim eto. Doedd ganddi ddim geiriau i allu mynegi'r talp bach hwnnw o'i dydd.

# 4

SAWL LEFEL o eironi sy 'na?

Astudiodd Ishi Mai y bylb uwch ei phen. Disgynnai beth pellter i lawr o estyll y to uchel. Am wastraff gofod, meddyliodd. Rhentu'r stiwdio er mwyn y gofod wnaeth hi bum mlynedd yn ôl, a nawr roedd llawer gormod ohono. Peth diystyr hollol oedd o, y gofod. A phopeth arall. Y bylb. Y golau a ddeuai ohono. Y soffa fawr felfed biws. Y matres ffwtonaidd nad oedd yn ffwton o gwbl yn y gornel. Y 'gegin' nad oedd yn ddim ond sinc a stof a thegell a meicrodon draw draw yn bell yn y gornel, yr ochr draw i ragor o lawr a gofod. Y cwpan ar lawr wrth ei hysgwydd a gwaddod te mafon ar ei waelod, a staeniau paneidiau o'r blaen ar ei du mewn. Doedd dim ohono'n sylwedd go iawn. Gwastraff. Y cyfan. Yn ei chynnwys hi.

Pe bai hi'n iawn, mi welai eironi yn y pethau hyn, am bob math o wahanol resymau. Ond yr unig eironi a welai yn awr oedd eu diffyg pwrpas, eu dibwyntedd. Yn un â'r gofod. Doedd dim ystyr i ddim.

Anadla, Ishi Mai, meddyliodd. Un, dau, tri, canolbwyntia ar yr anadl.

Rhagor o ofod gwastraffus. Anadl. Be 'di'r pwynt? Anadla, gorchmynnodd eto. Teimla'r gwynt yn codi o dy ymysgaroedd, yn llenwi dy ysgyfaint, dy frest i gyd, ag ocsigen bendithiol. Aer, nid ocsigen. Gofod. Rwyt ti'n llawn o ddim byd, Ishi Mai.

Pe na bai hi'n teimlo'n oer yn y stiwdio fawr a hithau'n

gorwedd yn noeth ar y llawr rwber, ei breichiau a'i choesau ar led, byddai wedi aros yno drwy'r prynhawn yn cystuddio'i hun am fethu meddwl, methu creu. Treuliai fisoedd bob blwyddyn yn methu. Nid i gyd ar unwaith, ond gallai adio'r holl amser a dreuliai'n gorwedd ar ei chefn yn methu gweld dim byd ond yr hyn oedd yno, y gwacter, y gofod di-ddim, ac mi wnâi fisoedd lawer bob blwyddyn. Un ar ddeg falla. A'r un mis o wynfyd wedi'i daenu'n denau dros flwyddyn gyfan yn werth pob eiliad.

Oedd o?

Oedd hi ddim yn bryd iddi newid cyfeiriad? holodd ei hun eto fyth: ennill bywoliaeth yn gwneud rhywbeth o werth fel gweini bwyd i bobol ddiolchgar a werthfawrogai fwyd, neu'n trin gwallt pobol a werthfawrogai wallt da, neu'n creu dillad, neu'n papuro waliau, golchi lloriau, gyrru faniau, paentio ewinedd. Rhywbeth o werth. Unrhyw beth.

Yn lle pydru.

Clywodd sŵn ambiwlans yn ei chyrraedd o ben arall y stiwdio, ar ei gwely. Sŵn ei ffôn. Ystyriodd aros lle roedd hi a gadael iddo ganu. Mi ffoniai pwy bynnag oedd yno 'nôl os oedd o'n bwysig. Canodd yr ambiwlans yn ei flaen. Pam nad âi o i *voicemail*?

Trodd ar ei hochr i geisio codi. Roedd hi'n stiff ar ôl gorwedd ar ei chefn yn noeth am awr a hanner. Pydru: dyna'n union roedd pawb yn ei wneud. Drwy'r amser. Am byth. Hyd yn oed babis bach.

Cau dy ben am fabis, Mam, dwi'n dal i fod yn rhy ifanc i feddwl am golli fy ego a rhannu fy hun efo babi.

Grwgnachodd wrth droi ar ei gliniau, a chodi. Roedd ei phen-ôl yn goch ar ôl iddi fod yn gorwedd mor hir, a'i phengliniau'n sgrechian wrth iddi geisio gwthio'i hun i fyny yn awr.

Gwyddai'n iawn wrth gerdded at ei ffôn y byddai'n stopio · canu cyn iddi ei gyrraedd, ac mi wnaeth. Fforffycseciodd Ishi Mai, a chodi'r peth i weld pwy fu yno.

Ei mam: dylai fod wedi aros lle roedd hi ar y llawr. Bythefnos yn ôl, byddai wedi gadael i'w mam ei ffonio eto. Weithiau, pan fyddai ar ganol rhyw waith neu'n meddwl, byddai wedi gwasgu'r botwm i ddileu'r alwad ac wedi anghofio ffonio 'nôl heb boeni dim. Ond heddiw, ar ôl yr hyn ddigwyddodd bythefnos yn ôl, a'r alwad a ddywedodd wrthi nad oedd ei thad yn anfeidrol wedi'r cyfan, barnodd Ishi Mai y byddai'n well iddi ffonio'i mam yn ôl. Gwasgodd 'Suzie' ag un llaw, a gyda'r llall, dechreuodd baratoi ychydig o reis i fynd gyda'r salad pupur a ffa duon o'r rhewgell.

'Hai Mam, fi, be sy?'

*

Synnodd deimlo'r cathod bach yn ei stumog wrth iddi daenu'r papur A3 ar y ford fawr yng nghornel oleua'r stiwdio. Roedd sawl wythnos ers iddi ddod yn agos at osod syniad ar bapur. Doedd hi ddim yn ffyddiog o gwbl y deuai'r weledigaeth roedd hi wedi dechrau gweld ei chysgod yn ffurfio tra oedd hi'n siarad ar y ffôn efo'i mam i fodolaeth go iawn. Roedd cymaint o argraffiadau'n llithro o'r golwg, allan o'i chyrraedd, bron cyn iddi sylwi arnyn nhw, ac ymhell cyn iddi ddeall eu ffurf go iawn.

Ei nain. Pryd feddyliodd hi amdani ddiwethaf? Roedd hi yno ar ymylon ei meddwl yn aml, pan fyddai'n creu rhyw waith yn seiliedig ar freuder bywyd/prinder amser/henaint/marw, ond doedd hi ddim wedi dod yn rhan ganolog o strwythur sylfaenol unrhyw syniad hyd yn hyn.

A doedd y cysyniad hwn, os gallai ei alw'n hynny, yn ddim mwy na rhyw ragargoel y gallai elwa ar rywbeth i wneud i destun go iawn ymddangos, rhyw ragsyniad am ysbrydoliaeth, ei nain fel cyfrwng i'r awen gael treiddio i'w chortecs a gwneud rhywbeth yno, cyfleu, creu.

Fel arall, gallai wneud â gwyliau yng Nghymru.

Teimlodd y cathod bach yn bygwth troi'n chwydfa wrth edrych ar y dudalen wen wag o'i blaen. Ty'd rŵan, Ishi Mai. Nain. Cymru. Dad. Siapan... na! Nid ffor'na. Nid marw ei thad. Ni allai wynebu creu o'r dinistr hwnnw eto. Mi ddeuai amser, mi wyddai hynny, ond nid nawr, nid tra'i fod o'n dal i fod.

Ond Nain. Dyna oedd wedi agor cil y drws ar ryw syniad ynddi yng ngalwad ffôn ei mam. Yn colli arni? Na, roedd 'na ormod o wallgofrwydd y dyddiau hyn. Na, y cof. Y cof. Y broses o'i golli, nid y pen draw. Daeth iddi'n sydyn ei bod hi wedi canolbwyntio llawer gormod ar Siapan. Wedi teithio yno droeon, gyda theulu agos a phell. Ac wedi cael cymaint gan Ayaka. Ac er bod Hannah-Jane ar garreg ei drws – wel, fwy neu lai – doedd hi ddim wedi gweld dim ynddi a allai gyfrannu at ei gweledigaeth, nid tan rŵan. Y cof, y cof, a'i golli! Perffaith!

Roedd hi wedi mwmian geiriau ystyriol, cysurol i'w mam, a oedd i'w gweld yn poeni llawer gormod. Byddai'n oesoedd eto cyn y byddai ei nain yn ddigon drwg i'w mam orfod wynebu'r dasg o ddod o hyd i gartref iddi. On'd oedd Hugo wedi bod yn mwydro'i phen am ei dad dementiog ers yr hyn a deimlai fel y rhan orau o ddegawd, a newydd fynd i gartref oedd hwnnw. Ond cerddor oedd Hugo ac er mai fo oedd ei ffrind gorau yn y byd i gyd, mi wyddai Ishi Mai fod cerddorion yn frid ar wahân.

A wedyn, ar ôl iddi fwyta ei salad ffa duon, roedd hi wedi ffonio ei mam i ddweud beth roedd hi'n bwriadu ei wneud.

'Am fis?!' arswydodd ei mam. 'Alli di ddim aros gyda hi am fis!'

'Ddim ond am na allet ti, dyw hynny ddim yn golygu na alla i,' meddai Ishi Mai yn ddidaro, gan ddechrau llunio rhestr yn ei phen o'r hyn fyddai ei angen arni i gofnodi ei harhosiad *chez* Nain a'i phrofiad o'r hen ddynes: camera, llonydd a fideo, papur A2, A3, A5, siarcol, clai, paent, brwshys, cyllyll... ar hyn o bryd roedd ei syniadau'n fwy 'hollgyfrwng' nag 'amlgyfrwng'. Byddai'n rhaid iddi eu mireinio wedi iddi gyrraedd. Ond doedd hi ddim am fod yn gaeth yn nhwll-tin-unman heb bapur, neu baent neu adnoddau elfennol o'r fath. Er mai naw deg y cant syniadol, a deg y cant gweithredol oedd celfyddyd gysyniadol, roedd y deg y cant yn bwysig, a doedd Ishi Mai ddim am fynd i Gymru heb ei harfogaeth lawn.

'Mi allai fynd yn hirach na hynny hefyd,' ychwanegodd. 'Ga i weld.'

Dibynnu pa mor barod i lifo oedd yr awen.

'Ti off dy ben,' meddai ei mam wedyn, ond heb lawer o arddeliad. Gallai Ishi Mai synhwyro rhywfaint o ryddhad ynddi. Byddai'n ennill mis neu ddau o ras cyn gorfod mynd i'r afael â phroblem ei nain, a mis neu ddau o amser i ymgodymu â'r newyddion am ei thad. Teimlodd Ishi Mai ryw gynhesrwydd yn ei llenwi wrth feddwl hynny, a sylweddolodd ei fod o'n deimlad newydd iddi, y teimlad o fod yn rhinweddol, o fod yn oedolyn a ysgwyddai gyfrifoldebau dros eraill.

A bod yn deg, roedd hi'n hen bryd iddi ddechrau teimlo felly. Yn aml iawn, pan gâi ei hatgoffa ei bod hi o fewn llai na phedair blynedd i fod yn ddeugain, dychrynai drwyddi. Erbyn yr oed oedd hi nawr, byddai ei mam wedi ei chael hi a Gethin ers blynyddoedd, ac wedi mynd yn ôl i weithio wrth i Gethin gyrraedd oed y *crèche*. Er bod Gethin ddeunaw mis yn iau na hi, teimlai Ishi Mai weithiau mai hi oedd y ferch fach: o leiaf roedd Gethin mewn perthynas. Dim priodas, na, ddim eto, a dyn oedd Jackson, ond roedd y ddau wedi bod yn ecsglwsif ers tua phum mlynedd. Doedd gan Ishi Mai ddim mwy na llond llaw o fflings dros dro i'w crafu'n rhicynnau ar bostyn y gwely, a phe bai'n rhaid iddi alw wynebau'r un o'r rheini i gof, go brin y llwyddai i wneud hynny mewn unrhyw fanylder. Rhyw gyfuniad o wahanol fathau o lwyd oedd pob un iddi.

Eglurodd Ishi Mai i'w mam y byddai'n brosiect gwerth chweil gan iddi fod yn hesb braidd ers rhai misoedd, a gallai fod yno i'w nain ar yr un pryd. Roedd tair blynedd dda ers iddi ei gweld hi o gwbl, felly doedd mis neu ddau ddim yn llawer o edrych arno felly. A byddai'n rhaid iddi aros rhai wythnosau cyn mynd beth bynnag, ychwanegodd, gan ei bod hi wedi addo cyfrannu at brosiect roedd Hugo'n gweithio arno, gwaith a fyddai'n ei chadw yn Llundain tan ddiwedd mis Mai. Ond fyddai salwch ei nain ddim yn gwaethygu cymaint â hynny yn ystod yr wythnosau nesaf: roedd digon o amser ganddi i baratoi, ac onid oedd ei mam wedi dweud bod y ddynes drws nesa'n cadw llygad arni?

Wnaeth Ishi Mai ddim sôn wrth ei mam fod 'na chwilen arall ganddi yn ei phen hefyd: mwmiodd rywbeth am brosiect ar y cof, ond ers pan oedd yn blentyn, roedd chwilfrydedd am ei thaid ar ochr ei mam wedi bod yn cnoi ym mherfedd Ishi Mai. Teimlai'r golled yn ddwys. Roedd gan bawb arall daid – un nad oedd yn fyw, weithiau, neu un nad oedd wedi bod yn bresennol ym mywydau ei blant a'i wyrion, ond un ac iddo enw, hanes, ffeithiau. Doedd gan Ishi Mai ddim taid felly ar ochr ei mam. Bwlch oedd yno. Bwlch nad oedd ei mam wedi gallu ei lenwi chwaith, felly gobeithiai y gallai greu darn o gelfyddyd i fynegi'r bwlch hwnnw, i gynnau rhyw deimlad yn ei mam hefyd, fel ynddi hi ei hun, i roi geiriau i'r golled.

Sawl gwaith yn blentyn, roedd hi wedi gofyn i'w mam pwy oedd taid Cymru. A'i mam wedi methu ateb. Synnai diffyg chwilfrydedd ei mam Ishi Mai, tan iddi wawrio arni rai blynyddoedd yn ôl efallai fod ei mam lawn mor chwilfrydig â hi, ond bod ei nain wedi gwrthod yn lân â rhannu'r gyfrinach â'i merch. Roedd hi'n amlwg fel y dydd mai canlyniad rhyw ffling danllyd sydyn oedd Suzie, ac nad oedd y tad yn cyrraedd safonau parchus rhieni Hannah-Jane, a oedd yn bobol capel, *'nough said.*

Ers amser, roedd Ishi Mai wedi ystyried honno'n grachen gynhyrchiol i'w chrafu, ond wedi ei gwthio i ben draw ei meddwl pan oedd gwaith arall yn galw, neu pan nad oedd unrhyw ddarpar syniad i'w weld yn gallu magu gwraidd. Ond nawr, gyda'r newyddion fod ei nain yn dechrau ffwndro, a'i chof yn adnodd ac iddo derfyn a phen draw, dechreuodd Ishi Mai weld posibiliadau, ac unwaith eto, teimlodd y posibiliadau hynny'n llifo fel cyffur drwy ei gwythiennau. Dyma ei hoff ran o'r broses greu: yr adeg pan oedd unrhyw beth yn bosibl, pan oedd popeth yn egin a allai wthio blodau o bob math i'r byd, pan oedd hi'n benysgafn wrth feddwl am y mawredd oedd yn bosib ynddi. Anaml iawn y gwireddid addewid y mawredd hwnnw, mi wyddai, ond roedd ei ragweld, ei ddamcaniaethu, ei ddyfalu, yn rhoi gwefr anferthol i Ishi Mai, ac yn ei llenwi ag egni a ymylai ar fod yn orffwyll.

Ar ôl siarad gyda'i mam, aeth Ishi Mai ati fel lladd nadredd i restru'r hyn fyddai ei angen arni a meddwl am syniadau a chyfeiriadau. Bwciodd drên i ogledd Cymru ymhen tair wythnos a hanner: ddeuddydd wedi perfformiad clyweledol

Hugo, byddai'n ffarwelio â'r metropolis ac yn mynd i chwilio am ei hanes, ei hachau, olrhain taith ei DNA o Gymru i Loegr. Gadawodd i'w mam roi gwybod i'w nain ei bod hi am fynd ati i aros am ryw sbel fach.

Gallai ddychmygu ei nain rŵan – wel, ddim rŵan, ond ymhen tair wythnos – yn bwrw ati i goginio sgons, a smwddio cynfasau gwely, a pholisio'r tŷ teras nes ei fod yn disgleirio. Digon posib mai neiniau pawb arall a wnâi hynny, daliodd ei hun yn meddwl: doedd ganddi ddim cof iddi gael sgons cartref gan ei nain erioed, er y croeso mawr a gafodd yno dros flynyddoedd ei phlentyndod. Ymweliad bob chwe mis, os nad oedd dim i darfu ar hynny. A cherdyn pen-blwydd defodol ganddi, tan iddyn nhw beidio yn y flwyddyn neu ddwy ddiwethaf. Er ei gwaethaf, ni allai Ishi Mai gael gwared ar y ddelwedd yn ei meddwl o'r nain draddodiadol yn byw yn ei thŷ bach twt, lle roedd rhosod yn fframio'r ffenestri ar y tu allan, a les ar y tu mewn, a'r haul yn gwenu i mewn drwyddyn nhw ar ddynes bwt a'i gwallt mewn bynsen yn gweini sgons. Mynnai ei meddwl roi wyneb y nain honno ar y ddynes yn ei phen, er mor annhebyg oedd hi i Hannah-Jane, nain Cymru. Gallai chwarae gyda'r stereoteipiau, meddyliodd, naddu ei nain hi o'r neiniau eraill oll.

Byddai ganddi waith ystyried deunyddiau, a pharatoi, a phacio'r cyfan i'r set o gesys caled a brynasai heb fawr o syniad beth i'w wneud â nhw i gyd. Papur a phaent, y camerâu, siarcol a phensilion a chlai. Câi ddefnyddio'r cês llai i hel ei dillad iddo pan ddôi'n bryd. Beth ar wyneb y ddaear oedd rhywun i fod i'w bacio i aros yng ngogledd Cymru am fis neu ddau yn yr haf? Dillad haul, dillad glaw, dillad cynnes...

Lle oedd dechrau cynllunio'r cyfan?

Estynnodd Ishi Mai am farciwr tew du o'r cwpan llawn

marcwyr ac ysgrifennu *Project Nein* ar y dudalen A3 mewn priflythrennau. Edrychodd ar y sillafiad: edrychai'n wallus. Beth oedd ei mam yn arfer ei ysgrifennu ar amlenni cardiau pen-blwydd a Dolig? Nid 'Mam', roedd hynny'n sicr. Ai'r un gair â'r Almaeneg am 'na' oedd y gair Cymraeg am fam-gu? Go brin...

'Nain' meddai Ishi Mai yn uchel wrthi ei hun. Gair a ynganodd filoedd o weithiau ond ni fedrai yn ei byw gofio'i sillafiad yr eiliad honno. Rhaid ei bod hi wedi'i ysgrifennu droeon hefyd, meddyliodd, yn blentyn, ac wedyn hefyd, ar gerdyn, yn rhywle... Beth oedd yn bod arni na allai gofio?

A daeth yn ôl iddi. 'A' nid 'e'. Tarodd groes drwy'r 'e' a rhoi 'a' uwch ei phen.

Wedyn, aeth Ishi Mai i wisgo dillad. Byddai'n rhaid iddi arfer gwneud hynny bob amser yng ngogledd Cymru gan fod yno lawer mwy o lygaid a thrwynau a thafodau nag yn Llundain.

# HAF

M AE HI YMA eto, er na wêl neb mohoni hi, dim ond ei theimlo ambell waith, yn debyg i gydwybod.

Daw rownd y gornel i'r stryd lle mae'r dre'n mynd a dod yn gymysg ag eraill o bell, er nad ydyn nhw'n siarad â'i gilydd rhyw lawer. Dianc i'w ffonau a wna'r rhan fwyaf, wrth i dudalennau papur newydd gyhwfan mewn awel boeth a lapio'u hunain am sbwriel arall mewn cilfachau.

Gwrandawa:

'Llanast! Be gythraul maen nhw'n drio neud?'

'Smonach llwyr, 'sa well heb 'run o'r diawliaid.'

Ceir undod am ryw hyd, wrth i bawb o bob lliw gytuno, coch a glas a melyn a gwyrdd. Y cyfan yn gwneud sbloetsh o frown gyda'i gilydd i gyd. Lliw gwleidyddiaeth.

Clyw eu diflastod liw dydd, wrth i bawb gytuno ar y byd ac ar y tywydd, am rŵan. Ond yn y nos, gwahana'r lliwiau eto o'r brown, a briga'r gwahaniaeth rhyngddynt i'w tafodau wrth gael eu hiro.

Aiff am dro ar hyd llwybrau mwy pellennig y dre am ei bod hi'n braf, ac i osgoi'r lleisiau diflas, draw at lle mae'r coed yn drymlwythog, feichiog o ffrwythau o bob lliw a llun. Yno, mae natur mor gyforiog nes ymylu ar edrych yn annaturiol iddi, ffrwydrad o ffrwythau a gwyrdd, fel canser. Dail wedi'u stwffio'n drwch ar bob brigyn, ym mhob llwyn a chlawdd, a thyfiant gwyllt yn drech na holl beiriannau'r byd.

Amrywiaeth yn chwyddo drwy bob bwlch, mwyarau, aeronau, ffrwythau daear aeddfed, holl flasau a gwenwynau'r cread, ym mhob lliw a llun, gyda'i gilydd yn un cyfanwaith clymog bendigedig.

Crwydra drwyddo am dipyn, i anadlu o'r gwyrdd, ond mae'r dre'n ei galw yn ôl.

Mae gormodedd o haul, a nos fel chwa o awyr iach. Deffry ddynion i ddadlau mewn tafarndai, a dyrnu ar y maes y tu allan i'r tafarndai. Clyw hi eu lleisiau o bell a chaiff ei sugno tuag atynt. Ar y maes, mae dau'n saethu ei gilydd â geiriau a dyrnau'n taro'r aer a thrwynau.

Teimla'n falch fod gwaed y dre'n dal i lifo.

Hyd at daro, maen nhw'n dadlau fel na chawson nhw ddadlau cyn hyn. Doedden nhw ddim ynddi o'r blaen, ond yn awr, mae pawb ynddi, yn rhoi ei gnegwerth, a thry'r geiriau'n hyll ar dafodau. Rhyddhaodd diod y rhwymyn sy'n cadw pawb yn gall, a daw llif o eiriau newydd o gegau blin. Dydi'r cyllyll ddim yn bell. Dynion yn eu hoed a'u hamser, a llafnau di-lafn am rŵan sy'n chwythu rhegfeydd i gegau ei gilydd.

Eraill yn gwylltio am nad ydyn nhw eisiau clywed y geiriau blin am ddieithriaid, a sbynjars, a fflyd a llif sy'n swnio'n debyg i êliyns a llygod mawr a firysau. Efo saith peint yn eu hymysgaroedd, aiff y geiriau'n fwy lletchwith i'w gwthio allan ar dafod floesg; rhaid i'r dwylo siarad. Mae calon y dre'n curo'n gyflymach wrth i ragfarnau frigo i'r wyneb drwy waelod gwydrau peint.

'Dan nhw'm fatha ni, gwaedda un, a chaiff ei alw'n dwpsyn am mai twpsyn ydi o. Ond dydi twpsyn ddim am arddel ei dwpdra ac mae o'n taro'i dalcen yn nhrwyn y llall, cyn igam-ogamu at fwyty Indiaidd gan gadw'i ragfarn i fudferwi dan ei wynt rhag iddo golli'r findalŵ y mae â'i fryd ar ei lowcio.

Mudferwi fydd o fory hefyd yn ei waith, a thrwy'r wythnos, nes daw nos Wener arall i gymell ei hunanfalchder a'i hunangyfiawnder fi-sy'n-iawn o'i gwt, allan yn un chwydfa ar y stryd o flaen y dafarn a'i dyfriodd.

Llithra'i chysgod oddi yno, wedi blino ar eu styrbio a'u stŵr, draw at y môr, lle mae bysedd yr haul yn dal i chwarae â'r gorwel fel plentyn â'i flanced cysur, cyn ildio i oriau prin o gwsg.

Da ganddi'r llwyd dros y brown heno.

# 5

DAETH YSFA I chwydu dros Beth eto wrth feddwl am y peth.

'A'r cyfan wnesh i oedd cynnig gneud ychydig bach o glirio cyn i'r wyres 'na sy ganddi ddod i'r golwg,' meddai'n gwynfanllyd wrth Dafydd uwchben bobi fasnaid o basta a phesto.

Roedd hi wedi cynnig, a Hannah-Jane wedi gadael iddi fynd i'r cwpwrdd o dan y sinc a gafael mewn dwster a'r hen becyn wet weips wedi'i agor a bron yn sych oedd yno. Dechreuodd yn y stafell molchi, gan feddwl mai dyna fyddai'r talcen caletaf.

Roedd glanhau'r gwydr dannedd gosod â'i stremps Steradent, a'r sinc â hen sebon wedi cacennu rhwng y tapiau, bron yn ddigon i wneud iddi ailfeddwl a ffonio rhywun oedd wedi arfer â budreddi degawdau. Doedd y tŷ bach fawr gwell.

Aeth i mewn i'r stafell wely sbâr gyda'r bwriad o newid y dillad gwely yn y fan honno, ond doedd dim posib gweld y gwely o dan yr holl anialwch a wthiwyd i bob twll a chornel, yn hen ddillad a chlustogau, bagiau a chesys a edrychai'n hanner canrif oed, a thaclau cegin hen ffasiwn a ddylai fod wedi cael ffling ers blynyddoedd lawer, efo haenen seimllyd ar ambell un o hyd. Ochneidiodd Beth yn nrws y stafell a galw lawr grisiau ar Hannah-Jane: 'A' i â phetha i'r lle ailgylchu, ia?'

''Nei di ddim o'r fath beth!' daeth llais Hannah-Jane o

waelod y grisiau, a'r eiliad nesaf, roedd Hannah-Jane ei hun yn bustachu i fyny'r grisiau gam wrth gam blinderus. 'Does 'na'm byd dwi isio'i warad.'

'Be am y dysglau Pyrex 'ma...? Maen nhw'n doriadau i gyd...' (Ac yn gacen o fudreddi drostynt, meddyliodd yn ei phen.) "Dach chi isio fi olchi nhw, 'ta, a'u cadw nhw'n gegin?'

'Sgin i'm lle yn gegin.'

'A'r hen gwpwrdd 'ma...' Rhwng y gwely a'r drws, safai cwpwrdd, a hen wordrob rhwng y gwely a'r ffenest, heb sôn am y wordrob antîc anferth a orchuddiai un wal gyfan. 'Taswn i'n symud y cwpwrdd a'r wordrob i rwla...'

'Sgin i'm lle i'w rhoi nhw.'

Edrychodd Beth ar y cwpwrdd rhad a gweld bod y cefn wedi disgyn yn rhydd, a'r droriau wedi disgyn i mewn ar ei gilydd. Rywbeth yn debyg oedd cyflwr y wordrob. Rhoddodd Beth gynnig arall arni. 'Ga i fynd â nhw i'r ganolfan ailgylchu i chi?'

'Ma'n nhw'n aros!' mynnodd Hannah-Jane. 'Dwn i'm be haru chi betha ifinc, yn cael gwarad ar bob dim ar yr esgus lleia.'

Gwell ganddi iddyn nhw sefyll fan hyn heb unrhyw ddiben amgenach na rhwystro rhywun rhag gwneud unrhyw ddefnydd o stafell wely gyfan.

'Ond be am Ishi Mai?' ceisiodd Beth ddadlau. 'Lle mae hi'n mynd i gysgu? Sna'm lle iddi droi yn hon.'

'Fydd Ishi Mai yn iawn yn y parlwr,' meddai Hannah-Jane. 'Toes gin i soffa dynnu allan?'

Cofiodd Beth yr hen wraig yn sôn unwaith iddi brynu gwely soffa at ryw Nadolig, flynyddoedd lawer ynghynt, pan oedd Susan ac Aito a'r ddau blentyn yn dod yno. Chafodd y gwely soffa ddim o'i fedyddio er hynny. Mynd i westy – yr Arfon

Country House os cofiai Beth yn iawn – wnaeth y pedwar yn y diwedd 'rhag creu trafferth i Nain'.

Caeodd Beth y drws, yn falch yn ei chalon fod yr hen ddynes mor gyndyn i adael iddi wagio'r stafell sbâr. Byddai wedi cymryd oes iddi, a digon o waith clirio ar ei thŷ ei hun.

Roedd tipyn gwell cyflwr ar y parlwr bach y tu ôl i'r stafell fyw. Prin yr âi neb yno byth. Câi Ishi Mai gadw cwmni i'r degau o luniau ohoni hi ei hun a'i brawd ar wahanol gamau o'u datblygiad, casgliad lluniau a oferai drosodd o'r stafell fyw i'r parlwr. Byddai'n gan gwaith haws glanhau'r fan honno.

Aeth Beth i lawr y grisiau. 'Be am y toiled cefn?' gofynnodd. Byddai'n llawer mwy hwylus i Ishi Mai ddefnyddio'r tŷ bach lawr grisiau yn y nos.

'Be amdano fo?' holodd Hannah-Jane.

Yn lle ateb, aeth Beth drwy'r gegin i lle roedd y toiled bach yng nghefn y tŷ. Daeth yn amlwg yn syth mai'r tŷ bach fyny grisiau a ddefnyddiai Hannah-Jane. Pan edrychodd Beth i'w berfedd, gwelodd fod yno hen lwmp o gachu du wedi caledu yn y gwaelod a'r ychydig ddŵr o'i gwmpas yn frown tywyll. Bu bron iddi chwydu yn y fan a'r lle, ond yn lle hynny, tynnodd y tsiaen.

A dyna pryd y digwyddodd: cododd cannoedd o bryfed ar amrantiad wrth i'r dŵr eu taro allan o'r tŷ bach yn ffrwydrad yn ei hwyneb. Cannoedd ar gannoedd ohonyn nhw, y cwmwl o bryfed a oedd wedi troi'r lwmp o gachu melyn yn ddu.

Sgrechiodd Beth. Ac eto wedyn wrth i sŵn y pryfed o gwmpas ei chlustiau, ei gwallt, fygwth ei gyrru o'i chof. Daeth ati ei hun ddigon i agor y ffenest fach uwchben y sistern, a diflannodd y rhan fwyaf o'r pryfed gleision hyll llawn cachu allan y ffordd honno.

'Bom pryfed!' chwarddodd Dafydd cyn gwthio'i ddysglaid

o basta oddi wrtho. 'Ach a fi! Ers faint oedd y cachu wedi bod yno?'

'Ers y tro dwetha i Susan alw…? Neu'r tro dwetha i Hannah-Jane fethu dal i fynd yr holl ffordd fyny grisia. Ac anghofio fflysio. Mi fedra fod yn fisoedd.'

'Raid bod cenedlaetha ar genedlaetha o bryfid wedi cael llonydd i fagu yno,' chwarddodd Dafydd wedyn, cyn stopio wrth feddwl: 'Mond bo nhw'm yn dŵad ffor' hyn!'

'Ma rwbath yn rhyfedd ynddi,' meddai Beth gan fentro rhoi ei llwy yn ei phasta. 'Yr Ishi Mai 'na.'

'Mi w't ti'n rêsist wedi'r cyfan,' meddai Dafydd.

'Naci siŵr… ddim hynny. 'I ffordd hi.'

'Gwahanol i ni,' daliodd Dafydd ati. 'Ddim 'run peth â ni.'

'Ddim dyna dwi'n feddwl chwaith. Wel… ia, gwahanol i bawb am wn i. Rwbath *highly strung*. Ddim hynny'n union chwaith. Rwbath creadigol, ma siŵr. Gormod o allu. Bywyd Llundain. Dwn i'm.'

'Raid bod rwbath iddi os 'di'n dŵad i fama am gymaint o amser i edrych ar ôl 'i nain.'

Doedd Beth ddim yn siŵr i ba raddau roedd Ishi Mai yn mynd i edrych ar ôl Hannah-Jane fel y cyfryw, neu i ba raddau y câi hawl gan ei nain i 'edrych ar ei hôl'. Ond roedd 'na rywfaint o ryddhad i Beth y byddai rhywun arall yno i gadw llygad. Gallai fethu galw yno ambell ddiwrnod gan ei rhyddhau i fynd efo Dafydd i rwla. Nid bod 'rhwla' yn unman mwy na lolian yn gwely neu o flaen y teledu yn aml iawn.

A rhaid bod yr wyres wedi symud meddwl Hannah-Jane rywfaint, gan nad oedd hi i'w gweld yn poeni rhyw lawer a oedd Beth yn dod heibio iddi neu beidio y dyddiau hyn. Rhyw groeso digon swta a gâi Beth pan fyddai'n galw yno, a chael gwybod yn ddigon ffwr-bwt fod Ishi Mai yma rŵan, nad oedd dim y gallai Beth ei wneud i helpu. Roedd hi am gadw Ishi Mai iddi ei hun, roedd hynny'n amlwg, ac am wneud yn siŵr na châi Beth ronyn yn fwy nag oedd raid o gwmni'r wyres wych.

Ac roedd rheswm arall pam roedd Beth yn ddigon hapus i dreulio llai o amser drws nesa. Byth ers iddi weld Dafydd yn aros amdani ar garreg y drws, roedd sylwadau pigog Hannah-Jane am y 'dyn' wedi mynd dan ei chroen go iawn. Roedd y ddau wedi cyfarfod sawl tro bellach wrth i Dafydd ei phasio ar garreg y drws – a chael sgwrs go iawn. Fedrai Dafydd ddim peidio â bod yn serchog, a hudo'r sawl y siaradai â nhw i gredu yn y diddordeb enfawr a ddangosai ynddyn nhw. Dyna un o'r pethau a'i denodd at Beth yn y lle cyntaf.

A bellach, roedd o'n fwy o ffefryn gan Hannah-Jane na Beth ei hun.

'Fuo dim raid i ti gario torth iddi bob dydd am y part gora o ddegawd, fuo dim raid i ti roid drops yn 'i llygaid hi pan gafodd hi'r cataract wedi'i neud, fuo dim raid i ti *lanhau'i thŷ bach hi*! Ac eto, ti'n llawar gwell peth iddi nag ydw i.'

Chwerthin fyddai Dafydd, yn cytuno'n llwyr, ac yn poeni dim. Doedd hithau ddim chwaith, go iawn. Wnaeth hi fawr ddim mwy efo Hannah-Jane na'i gweld a phasio'i thŷ hi a galw am hanner awr bach bob dydd. Dim a barai drafferth go iawn iddi a hithau'n mynd i'r dre i nôl ei thorth ei hun beth bynnag (ar wahân i'r deufis di-lwten a dreuliodd yr haf diwethaf). Fuodd dim rhaid iddi arllwys ei pherfedd wrth yr hen wraig, na rhannu dim ohoni hi ei hun go iawn.

Ai bod yn garedig oedd hynny? Gwneud yr hyn y byddai hi'n ei wneud beth bynnag, heb roi dim ohoni hi ei hunan go iawn. Châi Hannah-Jane ddim gronyn yn fwy nag oedd Beth yn barod i'w gynnig.

Ceisiodd Beth ddychmygu bod yn hen ac yn ffaeledig fel ei chymdoges. A fyddai'n ddigon ganddi gael rhywun i wneud y pethau ymarferol drosti, heb gael rhannu bywyd y 'rhywun' hwnnw? Perthynas ymarferol lwyr. Rhaid bod Hannah-Jane yn unig heb neb i rannu'r tu mewn. Oedd, roedd hi wedi arfer rhannu hanesion di-ben-draw â Beth am yr hen dre, a'r hen bobol, ond doedd Beth byth yn dweud rhyw lawer yn ôl. Waeth i Hannah-Jane fod yn siarad â'r wal ddim. Doedd Beth ddim yn dweud wrth Hannah-Jane am Carwyn ac Andrew, nac am Dafydd fwy na'r hyn oedd raid ers i'r hen wraig ddarganfod ei fod o'n bodoli yn ei bywyd. Doedd hi ddim yn dweud wrth Hannah-Jane beth roedd hi'n ei gredu, yn ei hoffi, yn ei ddarllen, yn ei fwyta, yn ei wylio, yn ei garu.

Rhaid bod Hannah-Jane yn unig heb neb i ddweud y pethau hynny wrthi. Llwybr un ffordd. Daliodd Beth ei hun yn gobeithio bod Ishi Mai yn dweud pethau o'r fath wrthi.

*

'Ddim mor oer neithiwr,' meddai Beth wrth y ferch, gan bwyso yn erbyn wal Asda. Estynnodd ddwy bunt o'i phoced iddi.

Chloe oedd ei henw, dysgodd hynny bellach, ac roedd hi'n ddeunaw oed er mawr syndod i Beth. Roedd ei mam yn byw ym Mangor, casglodd, er nad oedd y ferch i'w gweld yn orbarod i rannu ei chefndir â Beth. Byddai honno'n ceisio denu mwy o hanes y ferch drwy gynnig tameidiau o hanes ei diwrnod ei hun. A phe bai'n onest, hoffai gyfle i ladd ar Hannah-Jane wrth rywun heblaw Dafydd.

'Ddim i chdi ella,' saethodd Chloe yn ôl yr un mor sydyn ag y bachodd ei llaw am yr arian.

Daliodd Beth ei thafod. Cafwyd rhywbeth a ymdebygai

i ffrae rhyngddi a Dafydd am hyn, ac roedd hi wedi addo i Dafydd yn y diwedd na fyddai hi'n gwahodd Chloe i'w stafell sbâr. Gwyddai yn ei chalon mai Dafydd oedd yn iawn: duw a ŵyr lle oedd pen draw rhywbeth felly. Byddai Carwyn ac Andrew'n dod i fyny cyn diwedd yr haf beth bynnag. Doedd hi ddim eisiau iddyn nhw lanio a bod y gwcw'n gwrthod symud o'i nyth newydd.

'Ma dyletswydd ar y Cyngor...' dechreuodd Beth, fel roedd hi wedi'i wneud fwy nag unwaith o'r blaen.

Chloe a phartner ei mam oedd ddim yn cyd-dynnu. Fedrai hi ddim o'i ddioddef. Aeth Beth ddim i holi pam yn union, ond roedd y ffordd y siaradai Chloe amdano yn ddigon iddi allu paentio llun go fanwl yn ei phen o sut oedd pethau ar y ferch. Doedd ei mam ddim yn gwrando ar Chloe, ac roedd hynny'n gwneud i galon Beth waedu drosti.

'Ac eniwe, mi gesh i le gynnyn nhw, do. Ac mi ddoth y bastad yno a malu'r lle'n racs.'

'Partnar dy fam?'

'Na, Mam.'

Rhoddodd Chloe y ddwy bunt yn ei bra.

'Ddo i â cwpwl o rôls a phaciad o ham i ti,' meddai Beth wedyn.

Ond doedd hi ddim ar frys i symud. Edrychai'r dre'n ddigon deniadol dan belydrau'r haul. Trueni fod Chloe yno fel smotyn mawr du'n ei hanharddu, fel cydwybod, neu gywilydd, neu beth bynnag oedd smotiau du i fod i'w gynrychioli. Synnodd Beth ati hi ei hun am feddwl y fath beth, ond roedd o'n wir hefyd. Digon hawdd i'r dre fod yn hardd ar yr wyneb a chuddio pob math o bechodau y tu ôl i'r basgedi blodau a'r byrddau du bach oedd yn cynnig holl ddanteithion y greadigaeth i dwristiaid trymbyrsiog y byd. Roedd rhywbeth yn llai rhagrithiol mewn cael Chloe wrth ddrws yr archfarchnad yn farc cwestiwn (mawr du, 'run fath â'r smotyn mawr du) yn erbyn y ddelwedd berffaith gyfalafol, gelwyddog.

'A Maltesers,' meddai Chloe ar ei ben, a gwenodd wên plentyn ar Beth. Edrychai fel picsi gyda'i gwallt byr anniben a'i llygaid dwfn.

'Paid â phwsio dy lwc,' meddai Beth wrthi gan droi i mewn i'r siop.

'Tro ola am sbel, fydda i ddim yma fory.'

'O?' Trodd Beth.

'Dwi'n mynd ffwr'. A chyn ti ofyn, dwi'm yn deud.'

'Ocê...'

'Fydd raid i chdi chwilio am rywun arall i'w fwydro.'

*

'Meddwl fysa'ch nain isio torth...' meddai yn ei Saesneg gorau wrth Ishi Mai ar garreg y drws.

Diolchodd Ishi Mai yn Saesneg, a'i gadael i mewn. Gwisgai'r ferch ffedog laes, dros fawr o ddim arall hyd y gallai Beth weld, a rhyw lysnafedd llwydaidd drosti. Goferai'r llysnafedd o'r ffedog i'w dwylo.

'Sori am y llanast,' meddai Ishi Mai wrth i Beth syllu arni, 'gweithio hefo clai ydw i heddiw.'

'Am ddiddorol!' ebychodd Beth, heb ei feddwl. A difarodd yn syth wrth i Ishi Mai ei galw drwodd i'r parlwr i weld ei chreadigaeth ddiweddaraf.

Yno, roedd y gwely soffa wedi'i orchuddio â phapurach a llanast o bob math, fel y llawr a wyneb pob celficyn. Roedd y lluniau o deulu Susan wedi'u gwthio i gornel, a storm o bapurau, cynwysyddion paent a phethau eraill, a brwshys, a dyn a ŵyr be arall, wedi chwythu i bob gofod gwag yn y stafell. Ar y bwrdd, roedd rhyw greadigaeth gleiog a edrychai'n debyg i wyneb y lleuad, os oedd o'n debyg i unrhyw beth heblaw lwmp mawr llwyd yn llawn o rychau gwahanol feintiau, rhychau a phantiau a smotiau. Wyneb rhywun falla?

'Fy nehongliad o'r dre,' meddai Ishi Mai yn falch. 'Haniaethol wrth gwrs.'

'Wrth gwrs,' gwenodd Beth yn llydan. 'Gwreiddiol iawn.'

'Dwi'n methu penderfynu a ddyliwn i ei baentio fo'n frown neu'i adael o'n llwyd,' meddai Ishi Mai wedyn. 'Wedi iddo fo sychu wrth gwrs.'

'Wrth gwrs,' meddai Beth eto. Beth uffarn oedd hon? Gwyddai Beth fod artistiaid cysyniadol fel arfer yn brin o dalent ac yn byw ar ryw syniadau roedden nhw'u hunain yn meddwl eu bod nhw'n ysbrydoledig, ond nad oedden nhw'n cynnwys fawr o oleuni ar natur y ddynoliaeth na dyfodol y ddaear na dim byd arall go iawn. Ond wir, gallai fod wedi creu'r un llanast ym mharlwr Hannah-Jane ei hun mewn hanner awr orffwyll.

'Y syniad o'r dre fel hen wyneb, hen groen creithiog, wedi byw, ac yn dal i fyw, ond yn llawn beiau, pechodau, gwendidau, meflau...'

'Wela i,' meddai Beth, yn gweld fawr o ddim.

Daeth Hannah-Jane o'r gegin ati. Dechreuodd Beth droi yn y drws gan ofni nad oedd yr hen wraig yn ymwybodol fod ei hwyres wedi troi ei pharlwr yn safle cyflafan, ond doedd hi ddim i weld yn poeni. Roedd hi'n amlwg ei bod wrth ei bodd â gwaith ei hwyres athrylithgar.

'Tydi o'n ddigon o ryfeddod,' meddai. 'Tu hwnt i 'neall i wrth gwrs, ond mae gwrando ar Mai yn ei egluro fo'n ddigon o syndod,' ychwanegodd.

Bydd angen i ni fynd am dro i'r clinig llygaid 'na eto, meddyliodd Beth. 'Neis iawn,' gwenodd ar ei chymdoges.

'Hogan a hannar ydi Mai,' meddai Hannah-Jane, a chyfieithu ar gyfer ei hwyres. 'I was saying that you're a girl and a half.'

'And you're a Nain and a half,' meddai Ishi Mai a rhoi ei braich am ysgwydd Hannah-Jane.

Be oedd hon isio? Daeth hen deimlad rhyfedd i fol Beth nad oedd yr Ishi Mai yma'n un i'w thrystio: roedd hi'n amlwg ddigon nad oedd hi'n artist o unrhyw fath, nid un ag owns o dalent yn perthyn iddi beth bynnag. Ai dod yma gan synhwyro cyfle i wneud ceiniog neu ddwy ar draul ei nain oedd hi, gweithio'i ffordd i mewn i galon yr hen ddynes (nad oedd angen gweithio'n galed iawn i'w wneud pe bai hi ond yn dallt: roedd Hannah-Jane bob amser wedi addoli ei hwyres o bell) er mwyn ennill peth o'i phres? Pa bres? Faint o dolc a wnâi tŷ teras yn dre i rent neb yn Llundain? Falla bod Ishi Mai yn byw ar y stryd, fel Chloe, meddyliodd wedyn. Ond go brin. Roedd Susan yn wraig i ddarlithydd, a golwg drwsiadus arni bob tro y gwelodd Beth hi ar ei hymweliadau anfynych â'i mam: go brin y byddai rhywun mor barchus yn gadael i'w hepil fegera ar y stryd.

'Sut mae Dafydd?' holodd Hannah-Jane heb holi dim sut oedd Beth.

'Iawn. Cofio atoch chi,' gwenieithodd Beth. Byddai Hannah-Jane yn hoffi hynna.

'Un da ydi Dafydd,' meddai'r hen wraig, ac mi ychwanegodd Beth 'Rhy dda i fi 'dach chi'n drio ddeud' yn ei phen. 'Dalia di dy afael ar hwn,' meddai Hannah-Jane wedyn, heb ychwanegu: 'Nid fel gwnest ti efo'r dwetha.'

Caeodd Beth ei cheg yn dynn rhag i reg ddod allan.

'Oes gynnoch chi blant?' gofynnodd Ishi Mai i newid yr iaith er mwyn iddi hi allu deall.

'Does gen i ddim plant, ond mae gen i blentyn,' meddai Beth i geisio dangos ei bod hi'n fwy peniog na phenbwl er mai o dre roedd hi'n dod. 'Un plentyn,' meddai wedyn, yn teimlo'n wirion. 'Carwyn.'

'Ma Carwyn yn fyfyriwr yn ne Cymru,' meddai Hannah-Jane wrth Ishi Mai, i gogio bach ei bod hi'n gwybod pob dim am deulu Beth.

'Mae o'n gweithio yng Nghaerdydd,' cywirodd Beth, 'gydag S4C.'

'Be ydi hwnnw?' gofynnodd Ishi Mai. 'Pa fath o fusnes ydi hwnnw?'

'Teledu Cymraeg,' meddai Beth.

'Ddim hannar mor dda â theledu Saesneg,' prepiodd Hannah-Jane yn ei hacen Saesneg ddyfnaf, hi nad oedd botwm ei theledu prin yn gweld unrhyw sianel ond S4C o un pen i'r wythnos i'r llall.

'Dydi o ddim yn briod,' meddai Hannah-Jane wrth Ishi Mai wedyn. Ai awgrymu y dylai ei hwyres sengl ddangos diddordeb yn ei mab oedd hi? Chwarddodd Beth tu mewn. Bob lwc efo hynna, H-J! 'Ond mae ganddo fo *ffrind*,' ychwanegodd y gnawes a'r pwyslais ar y gair 'ffrind' yn dangos yn glir ei bod hi'n gwybod ei hyd a'i lled hi.

Y bitsh! A Beth wedi bod mor ofalus. Nid bod ganddi owns o gywilydd ynglŷn â rhywioldeb Carwyn, ac roedd Andrew'n werth y byd i gyd, ond roedd i *hon* wybod yn dân ar ei chroen, yn corddi ei stumog, yn ddigon i wneud iddi sgrechian. Fentrai hi ddim dangos, dim ond gwenu'n fingam.

'Ac wrth hynny, dwi'n cymyd mai'r hyn ydach chi'n ei feddwl ydi'i fod o'n hoyw, Nain,' meddai Ishi Mai'n ddigyffro. 'Yn union fel Geth.'

'Pwy?'

'Gethin. Fy mrawd. Eich ŵyr chi. Oeddech chi ddim yn gwybod? Ddylia Mam fod wedi deud. Jackson. Gethin a Jackson. Maen nhw wedi dechrau sôn am fabwysiadu.'

Bron na allai Beth fod wedi cerdded i mewn i geg Hannah-Jane gan iddi ei hagor mor fawr a methu cuddio ei syndod at newyddion Ishi Mai. Gallai Beth fod wedi cusanu'r ferch, a bu ond y dim iddi estyn ei dwy fraich amdani i'w gwasgu'n dynn i'w mynwes. Bwlsei!

'Mabwysiadu be?' holodd Hannah-Jane wrth i'w meddwl fethu dirnad yr hyn roedd y ferch wedi'i ddweud wrthi.

'Be 'dach chi'n feddwl "be"? Plentyn, babi. Bod dynol arall,' eglurodd Ishi Mai heb fod yn gas o gwbl. Daliai i wenu'n llydan ar ei nain. 'Mae Mam wrth 'i bodd. Meddyliwch, mi fyddwch chi'n *hen* nain!'

'Ydan nhw'n cael... ydan nhw'n cael gneud hynny?' Roedd ei meddwl yn dal i fod ymhell o allu dirnad. 'Gethin...?'

'Maen nhw'n cael y dyddia hyn, ydan,' cadarnhaodd Beth. Ac wrth Ishi Mai: 'Da iawn nhw!'

Byddai Beth wrth ei bodd yn cael bod yn nain, ond fe wyddai nad oedd fawr o obaith o hynny gan nad oedd arlliw o awydd bod yn rhiant yn Carwyn yn ôl ei addefiad ei hun. A dim ond newydd ddechrau rhannu tŷ oedd o ac Andrew. Daliai Beth ei hun yn meddwl weithiau, pan ddeuai'n bryd iddyn nhw edrych am dŷ i'w brynu yn hytrach na'i rentu, efallai y byddai'r ddau'n dewis dod yn agosach ati i fyw. Roedd Carwyn wedi treulio chwe blynedd yng Nghaerdydd yn barod; onid oedd hi'n bryd iddo feddwl am ddod adra? Gwyddai yn ei chalon mai breuddwyd gwrach oedd hi, ond doedd hynny ddim yn ei hatal rhag ei theimlo.

Daliodd Beth gwdyn y dorth i fyny i geisio cael meddwl

Hannah-Jane oddi ar y newyddion ynglŷn â rhywioldeb ei hŵyr, ac i gau ei cheg cyn iddi anadlu gormod o ocsigen a chael pwl o banig. Gafaelodd Hannah-Jane yn y dorth a mynd â hi allan i'r gegin i'w chadw heb ddweud gair arall.

Ar ôl iddi fynd, dechreuodd Ishi Mai giglo fel plentyn bach, a daliodd Beth ei hun yn gwneud yn union yr un fath. Doedd hon ddim hanner mor ddrwg ag oedd hi wedi'i feddwl.

Bachodd llygaid Beth ar lyfr mawr o bapur tu ôl i'r drws, a llun arno mewn siarcol. Mentrodd ei estyn: syllodd ar yr wyneb cyfarwydd ar y papur, yn debycach i Hannah-Jane na Hannah-Jane ei hun. Roedd Ishi Mai wedi dal yr olwg hunangyfiawn yna, yn gymysg â'r bregusrwydd, a'r tamaid lleiaf o ofn o gwmpas y llygaid, i'r dim.

'Mae'n berffaith,' meddai.

Cododd Ishi Mai ei hysgwyddau. 'Dwi'n dal fy hun yn dychwelyd at gyfryngau traddodiadol ers dod yma am ryw reswm,' meddai braidd yn drist. 'Mae Nain yn un anodd i'w chysyniadoli.'

Gosododd Beth y llyfr i lawr yn ofalus ar y gwely.

'Ond diolch,' meddai'r Saesnes wrth Beth. 'Mae hi bob amser yn braf cael canmoliaeth.'

Gwenodd Beth arni: roedd mwy i'r ferch nag a dybiasai.

Daeth trwyn Hannah-Jane rownd y drws o'r gegin. 'Ty'd drwadd i ista,' gorchmynnodd yn Gymraeg, heb arlliw o'r dychryn oedd wedi'i gyrru o'r stafell. 'Ma'r toiled newydd ferwi.'

'Y be? Be 'dach chi'n feddwl...?' Tro Beth oedd syllu'n gegagored.

'Yn union be ddudish i.'

'Y toiled?'

'Newydd ferwi,' cadarnhaodd Hannah-Jane.

Gadawodd Beth iddi ei harwain i'r gegin a gadael Ishi Mai i bendroni a ddylai baentio'i chreadigaeth gleiog yn frown neu'n llwyd.

'Sut alla i ddeud yn gliriach wrtha chdi?' meddai Hannah-Jane wrth Beth. 'Mae o newydd ferwi. Y dŵr newydd ferwi. Yn y toiled.' Yn ara deg fel pe bai hi'n egluro wrth blentyn bach.

'Yn y toiled...' ailadroddodd Beth er mwyn ceisio ennyn rhyw eglurhad.

'Ia, be arall? Fyswn i'm haws â rhoi dŵr yn y tôstyr, fyswn i? Gofyn am drwbwl. Ma'r toiled yn berwi.'

'O! Y tegell 'dach chi'n feddwl.'

'Ia, ia, dyna ddudish i.'

'Nacia, ddim dyna...' Saib. Wyneb fel lleuad llawn. ''Dio'm bwys. Ia, gyma i banad.'

Cofiodd Beth am y toiled yn berwi. O bryfed. Pwy ddwedodd nad ydi toiledau'n gallu berwi?

★

Y tro cyntaf y daeth Carwyn ag Andrew adra, roedd Beth wedi ofni damaid bach y byddai i Carwyn ac Andrew rannu'r gwely yn y stafell sbâr yn peri lletchwithdod, ond buan iawn y daeth i arfer.

Y tro hwn, roedd ei hofn yn wahanol. Dyma'r tro cyntaf i Carwyn gyfarfod â Dafydd. Roedden nhw'n mynd allan efo'i gilydd, hi a Dafydd, y tro diwethaf i Carwyn ddod adra, a'r tro cynt hefyd, pan ddaeth Andrew ac yntau i aros dros y Nadolig, ond doedd hi ddim wedi mentro gadael i'r ddau gyfarfod. Y tri, yn hytrach.

'Neis cwrddyd â ti, Dafs,' meddai Andrew wrtho gan

ysgwyd ei law. 'So Beth 'ma'n stopo siarad ambitu ti, a hen bryd i ni weld ti *in the flesh*, 'chan!'

Daliai Carwyn 'nôl y mymryn lleiaf, ac roedd tamaid bach o Beth yn gwerthfawrogi ei ofal am ei fam. Doedd o ddim mor barod â'i bartner i groesawu'r dyn newydd hwn yn ei bywyd, nid cyn ei nabod o'n iawn. Ysgydwodd law ag ef, a gwenu'n ddigon serchog, ond roedd hi'n teimlo llygaid Carwyn ar bob symudiad a wnâi Dafydd, a'i feirniadaeth ar bob sillaf a ddôi oddi ar ei dafod. Go brin mai ei gymharu â'i dad oedd Carwyn. Er ei fod yn dal mewn rhyw fath o gysylltiad â hwnnw, roedd Dafydd mor sylfaenol wahanol nes bod cymharu'n wastraff amser. On'd oedd o?

Ni ddangosodd Dafydd ei fod o'n ymwybodol fod Carwyn yn pwyso a mesur pob ynganiad o'i geg, ac yn cynnal ei astudiaeth asesu barhaus ei hun o gariad newydd ei fam. Dafydd oedd Dafydd bob amser, yn medru swyno pawb â'i chwerthiniad iach: pawb o Hannah-Jane drws nesa i'r dyn dall gwerthu pegs ar garreg y drws.

Treuliai fwy o amser yma nag yn Wrecsam bellach, ac roedd o wedi dechrau sôn am werthu'r tŷ yn fanno er mwyn i'r ddau ohonyn nhw gael codi pac a mynd ar wyliau o bryd i'w gilydd – ddim yn bell, 'jyst i gael rwla newydd i fod efo'n gilydd ynddo fo.' Doedd hi ddim mor hawdd i Beth allu codi yn y bore a phenderfynu mynd am dro i rywle a hithau'n gorfod bod yn swyddfa'r Cyngor ym mhen ucha'r dre cyn pen yr awr. Ond roedd hi'n braf meddwl, pan ddôi dyddiau ymddeol heb fod yn hir ofnadwy, y byddai Dafydd yno iddi, boed yn dre, neu ym mhen draw'r byd, doedd dim ots ganddi. Feddyliodd hi erioed y gallai adael y dre, gan na wnaeth hynny erioed. Ond roedd pobol eraill yn gadael o hyd, on'd oedden nhw, ac yn ddigon hapus i wneud hynny. Pam na allai hi?

Ceryddodd Beth ei hun am feddwl felly. Byddai ymhell dros ddeng mlynedd cyn y gallai feddwl am ymddeol. Hyfdra, neu wallgofrwydd ar ei rhan, oedd credu y byddai pethau yr un fath ymhen cymaint o amser. Sut y gwyddai hi go iawn y byddai Dafydd yma ymhen blwyddyn, heb sôn am ddeg?

'Wy wrth 'y modd yn y Gogs,' meddai Andrew gan suddo i gyfforddusrwydd y soffa o fewn dau funud i gyrraedd. 'Sdim unman yn debyg iddo fe. Rhwnt y mynydde a'r traethe, *you can't beat it*, myn.'

Gwenodd Beth, a mentro. 'Sna'm byd i stopio chi ddod yma i fyw,' meddai'n ffug-ddidaro.

'Dim byd heblaw jobs, cartra a bob dim arall,' meddai Carwyn yn reit bigog.

Wps, meddyliodd Beth. Paid ag agor dy hun i gael dy glwyfo, ceryddodd ei hun.

'Paid â chymyd sylw o Ands,' meddai Carwyn wedyn. 'Jest 'i ddeud o mae o. Bod yn boléit.'

'Oi!' meddai Andrew. 'Llai o 'na! Wy'n feddwl e, myn!'

Daliodd Beth Carwyn yn gwneud llygaid ar Andrew i newid cyfeiriad y sgwrs, ac mi ufuddhaodd Andrew drwy ddweud na fyddai dim yn well yn y byd i gyd na dished o de, ac i ategu hynny, mi gododd ar ei draed a chynnig gwneud un.

Wedi iddo fynd drwodd i'r gegin, mentrodd Beth sibrwd wrth Carwyn nad oedd hi'n ei feddwl, nad oedd hi'n rhoi unrhyw bwysau arnyn nhw i ddod fyny, a gwenodd Carwyn arni'n gymodlon.

'Fedri di ddychmygu be 'sa dre yn neud o bobol fatha Andrew a fi,' meddai gan wenu'n drist. 'Fysa'u hannar nhw'n lladd arno fo am fod yn *gay* a'r hannar arall yn lladd arno fo am fethu siarad Cymraeg yn iawn.'

Wnaeth Beth ddim dadlau, er na fedrai yn ei byw â chytuno fod pobol dre mor eithafol o ddrwg â'r darlun a baentiai.

*

'Be sy *matar* arnyn nhw?!' gwaeddodd Beth a theimlo dagrau'n llosgi tu ôl i'w llygaid.

Gwyliodd Dafydd y sgrin yn ymddangosiadol ddifynegiant. 'Be 'nei di, y?' meddai.

'Sut fedri di fod mor ddidaro?' Trodd Beth i edrych arno.

'Dwi'm yn ddidaro,' meddai Dafydd yn llywaeth. 'Ond fedri di'm newid bobol fel'a.'

Eitem ar y newyddion am rywun wedi ymosod ar ddwy hogan ifanc a wisgai hijabs am eu pennau. Creithiau ar wynebau hardd. Wedi gweiddi 'Death to all Muslims' a lluchio brics atyn nhw. Un ar bymtheg a deunaw oedd y merched. Criw o hogiau ifanc. Dim syniad faint oedd eu hoed nhw, achos doedden nhw ddim wedi cael eu dal eto.

Yn Wrecsam.

'Fedri di dam wel trio!'

'Be, fi?' holodd Dafydd gan droi i edrych arni'n wirion. Be oedd yn bod arno fo'n gallu bod mor ddigyffro?

'Ddim *ti*, naci, neu ddim ti dy hun. Ond ia! Ti! Fi! Ni! *Raid* i ni newid nhw. Raid inni neud *rwbath*!'

'Ma'r polîs yn siŵr o'u dal nhw.'

'Brexit ydi hyn. Blydi ffycin Brexit!'

'Diolch byth fod Carwyn ac Andrew 'di mynd allan lle bo nhw'n dy glywad di'n hefru...'

'Ddim jôc ydi hyn!' Teimlai Beth ei phwysedd gwaed yn mynd drwy'r to.

Daliai Dafydd ei freichiau allan mewn ystum a ddeisyfai

gymod. 'Naci, dwi'n gwbod. Ond fedri di'm beio Brexit am bob un dim. Mi oedd 'na hiliaeth cyn y trydydd ar hugain o Fehefin dwy fil ac un deg chwech. Mi oedd 'na hiliaeth a thrais a rhagfarn a'r cwbl lot.'

'Ond rŵan, ma bobol yn teimlo'i fod o'n iawn, bo gynnyn nhw *hawl* i ddeud y petha 'ma, i gorddi'r dyfroedd, hyd yn oed y bobol sy'n arwain y wlad 'ma. Pa ryfadd fod pobol yn lluchio brics! Doeddan nhw ddim cynt, mi oeddan nhw'n cyflawni'u hiliaeth yn y dirgel, ac yn anhysbys, ac yn rhedeg i ffwrdd cyn i neb weld.'

'Dyna wnaeth yr hogia yma,' ceisiodd Dafydd ddadlau.

'Falla fysa'r hogia yma heb neud o gwbl tasa'u rhieni nhw, 'u pobol nhw, 'u gwleidyddion nhw, pawb ar y bocs, pawb, ddim wedi sbowtio'r fath gasineb yn y lle cynta. Ma bobol ifinc yn tyfu fyny'n meddwl 'i bod hi'n iawn iddyn nhw droi ar unrhyw un sy'n wahanol iddyn nhw.'

'Ocê... ocê... dwi'n cytuno... jest...'

'*Jest*?!'

'Jest paid gada'l ni ffraeo am hyn. Fedra i'm help bod 'na bobol fel'na'n byw yn Wrecsam.'

'Dwi'n mynd i'r brotest yn Llundain,' meddai Beth yn bendant. Roedd hi wedi rhyw hanner lleisio bwriad i fynd gydag Ishi Mai ar y bws o ogledd Cymru i orymdeithio yn erbyn Brexit, ond prin ei bod hi wedi credu mewn gwirionedd y byddai'n mynd.

Ond roedd hi'n benderfynol bellach. 'Sna'm byd i'n stopio fi.'

Wnaeth Dafydd ddim meiddio ateb, dim ond mygu ochenaid fach ddistaw.

★

Roedd o wedi addo taro'i drwyn rownd y drws i gadw llygad ar Hannah-Jane tra byddai Beth ac Ishi Mai yn Llundain. Chwarae teg, meddyliodd Beth, cyn ceryddu ei hun am achub ei gam: gallai'r diawl diog fod wedi chwyddo'r dyrfa ar y brotest o un pe bai o wedi dod hefyd.

Rhaid i fi wneud mwy o hyn, meddai Beth wrthi ei hun wrth gerdded efo'r Cymry dan y ddraig goch a 'Stuff Brexit' arni. Teimlai nerth yn dychwelyd i'w henaid wrth deimlo ei bod hi'n gwneud gwahaniaeth. Gwahaniaeth bach, ond drwy fil, miloedd, miliynau o wahaniaethau bach y deuai'r gwahaniaethau mawr. Ac roedd o'n wahaniaeth mawr iddi hi. Doedd dim rhaid iddi gau ei hunan yn y tŷ yn sgrechian rhegfeydd at deledu na allai ei hateb yn ôl gan wneud i Dafydd edrych arni fel pe bai hi ddim yn gall. A hithau'n gwylltio mwy wedyn am nad oedd o'n gwylltio 'run fath.

Gwyddai Beth fod Dafydd yn cicio'i hun iddo fod mor wirion â chyfaddef wrthi, cyn iddo ddod i'w nabod hi'n iawn, ar eu dêt cyntaf o bosib, mai pleidleisio dros adael wnaeth o dair blynedd yn ôl.

Ond awydd i roi cic yn nhin Cameron oedd hynny go iawn, mynnai wrthi'n gyson wedyn pan godai'r un hen destun cynnen ei ben. Doedd o ddim wedi meddwl o ddifri cyn rhoi ei groes yn y blwch beth fyddai canlyniad hynny. Ac *roedd* o'n cytuno efo hi, hyd yn oed os nad oedd o cweit mor danllyd am bethau na allai mo'u newid.

O na fyddai'n dda, meddyliodd Beth, pe na bai Brexit, a phethau eraill hefyd, fel rhyfeloedd, ond yn digwydd pe bai miliynau o bobol wedi gorfod protestio yn y stryd *dros* eu caniatáu yn hytrach nag yn eu herbyn. Weithiau, tybiai Beth fod rhoi croes ar bapur yn rhy hawdd...

Canodd ei ffôn. Ishi Mai. Yn gofyn lle roedd hi, ac edrychodd

Beth i fyny a gweld enw stryd. Rhoddodd Ishi Mai enw stryd arall iddi – byddai'r orymdaith yn pasio heibio iddi mewn ychydig. Yn honno roedd fflat Ishi Mai. Cynigiodd i Beth fynd yno am baned cyn ailymuno â chynffon yr orymdaith. Cytunodd Beth yn fodlon: byddai'n addysg gweld lle roedd y ferch yn byw.

'*My god!*' ebychodd gan droi yn ei hunfan ar lawr y stiwdio wedi i Ishi Mai agor y drws iddi. Gwyddai fod gofod yn ddrud yn y brifddinas. Ond roedd gan hon ddigonedd ohono. Ac roedd y rhan fwyaf ohono wedi'i orchuddio â'r un trugareddau celfyddydol a oedd yn gorchuddio gwely a llawr parlwr cyfyng Hannah-Jane.

Edrychodd Beth o'i chwmpas mewn rhyfeddod ar y darluniau a bwysai yn erbyn y waliau, a'r lluniau ar y waliau, yn gymysg â ffotograffau mewn fframiau o Ishi Mai ar lwyfannau, yn derbyn gwobrau.

Daeth honno ati wrth ei gweld, a gofynnodd Beth iddi beth oedd y gwobrau. Pwyntiodd Ishi Mai at bob un yn eu tro: 'Best Conceptual Art Exhibit, National Art Competition, National Artistic Awards.'

Roedd pen Beth yn troi. Ond dechreuodd ddeall nad lwmp o glai yn unig oedd yr hyn a eisteddai ar y bwrdd ym mharlwr Hannah-Jane. Byddai'n rhaid iddi ddechrau meddwl amdano fel llawer mwy na hynny. Doedd ryfedd fod Ishi Mai'n gallu fforddio'r rhent ar le fel hyn a hithau wedi gwneud y fath enw iddi hi ei hun. Rhaid ei bod hi'n glyfar os oedd hi'n llwyddo i werthu lympiau o glai am ffortiwn.

\*

Roedd Dafydd wedi cael amser ar cythraul.

Ffoniodd Hannah-Jane am y tro cyntaf ddeng munud wedi i Beth ac Ishi Mai adael am y bws o'r sgwâr am bump o'r gloch y bore. Ffonio i ofyn lle'r oedd ei mam.

'Be ddudist ti wrthi?' holodd Beth.

'Deud wrthi tro hwnnw ei bod hi'n 'i gwely ac y dylai hitha fynd 'nôl i'w gwely hefyd.'

'Ac mi aeth?'

'Do, am gwpwl o oriau. Gesh i ffôn arall tua saith, yn gofyn wedyn lle roedd 'i mam hi 'di mynd.'

'O dduw mawr, ma hi'n waeth na feddylish i.'

'Ddudish i tro hwnnw, mor neis ag y gallwn i, fod 'i mam hi 'di marw, a mi gymodd hi hynny'n iawn. Deud 'i bod hi wedi ama wir am bod 'na gôt g'nebrwng ganddi yn 'i chwpwrdd dillad.'

'Gest ti lonydd wedyn?'

'Tan ddeg, do. Yn drws oedd hi pryd hwnnw. Yn 'i gŵn nos.'

'Blydi hel. Isio'i mam eto?'

'Na, jyst isio cwmni tro hwnnw. Wahoddish i hi fewn, gneud panad iddi...'

'Ti'n sant.' Rhoddodd Beth gusan ar ei dalcen.

'Ydw, dwi'n gwbod. A wedyn mi aeth, yn reit fodlon 'i byd. Wnaeth hi ddim ffonio wedyn tan dri yn pnawn.'

'Isio'i mam.'

'Isio Nedw. Pwy bynnag ydi Nedw. Isio gwbod os oedd o dal yn fyw. Ac os oedd o, mi oedd hi isio gair efo fo.'

Cododd Beth ei hysgwyddau. Doedd hi erioed wedi clywed Hannah-Jane yn crybwyll enw unrhyw Nedw o'r blaen, ddim iddi gofio.

'Wel, feddylish i 'swn i'n tshansio'i fod o wedi'n gada'l ni, a mi ddudish i hynny wrthi.'

'Oedd hi'n ypsét?'

'Nag oedd wir, mi ddudodd nad oedd 'na ddigon o le yn uffern ei hun i bobol fatha Nedw.'

'O. Wel. Dyna ni, 'ta. Gweld colli Ishi Mai oedd hi, ma siŵr... wedi'i bwrw oddi ar ei hechel wrth ffendio'i hun ar ben 'i hun yn tŷ.'

'Bosib. Mi soniodd wedyn fod 'na rywun wedi galw i ddarllen y mîtar, ond 'swn i'n tyngu mai dychmygu hynny wnaeth hi 'fyd, achos fuo 'na neb fan hyn. Ond mi ddoth yma eto cyn amser swper.'

'Be oedd tro hwnnw?'

'Oedd gynni bad mawr o bapur dan 'i braich. Un o betha Ishi Mai am wn i. Efo'i llun hi arno fo. Ac oedd hi isio gwbod llun o bwy oedd o. Oedd hi fel 'sa hi'n nabod yr hen ddynes yn y llun, ond roedd hi'n methu'n lân â chofio pwy oedd hi.'

'Welish i'r llun. Hi 'di o.'

'Ia. Llun da ydi o 'fyd. Nesh i'm deud wrthi. Toedd gin i'm o'r galon.'

'Diolch. Taswn i'n gwbod...'

'Be? Fysat ti wedi aros adra...? A'r byd angan 'i achub?' Gwenodd arni, ac ar ôl i Beth esgus pwdu am dair eiliad gyfan, dywedodd wrtho ei bod hi am fynd i'w gwely os oedd o ffansi dod.

'Mi ga i 'ngwobr felly,' meddai Dafydd gan godi'n barod.

Ond cyn i Beth gael cyfle i'w ddilyn, daeth cnoc ar y drws. Daeth Dafydd yn ei ôl i lawr y grisiau.

'Arglwydd,' rhegodd Beth. ''Di'm yn gweld bod Ishi Mai 'di cyrradd adra?'

'Aros funud,' meddai Dafydd, 'siarada i efo hi, ma'i'n licio fi.'

Agorodd y drws – i Ishi Mai. Ymddiheurodd am darfu arnyn nhw.

'Be sy 'di digwydd?' Dychmygodd Beth Hannah-Jane yn farw gelain yn ei gwely, neu'n waeth byth, ar waelod y grisiau ar ôl bod yn chwilio am ei mam.

'Fy nhad,' meddai Ishi Mai a'i hwyneb yn wyn. 'Maen nhw wedi mynd â fo i'r ysbyty. Rhaid i mi fynd ato.'

# 6

D<small>OEDD HI DDIM</small> yn hawdd cynllunio sut i farw. Teimlai
Suzie faich pob penderfyniad yn drwm ar ei hysgwyddau,
a chyhuddai ei hun yn gyson am fethu gwneud pethau fel y
dylai eu gwneud. Doedd hi ddim wedi disgwyl y byddai'r
diwedd wedi rhuthro tuag atyn nhw gyda'r fath gyflymdra.
Oedd, roedd y cyfan yn anorfod, ac yn mynd i ddigwydd
yn fuan iawn, ond wythnosau'n unig gawson nhw, a hithau
wedi cynllunio cymaint, wedi trafod gydag Aito beth oedd
y pethau bach ymddangosiadol ddibwys, arwyddocaol yn
hytrach na phwysig, roedd o eisiau eu gwneud. Pyntio cwch
un tro olaf ar y Cam, tro bach drwy'r coed ar y bryncyn bach
tu ôl i Gwynedd Cottage, mynd am dro yn y car i olwg y môr
ar draeth Walberswick. Mi lwyddon nhw i wneud hynny, hyd
yn oed y pyntio am hanner awr fach nefolaidd.

Ac aeth Ayaka gyda nhw i olwg y traeth. Cofiai Suzie hi'n
fychan fach yn y sedd ôl, yn ffitio i le plentyn pump oed o
dan y gwregys, a'r rhychau ar ei hwyneb yn bradychu ei chant
namyn un o flynyddoedd. Gallai Suzie dyngu bod yr hen
wraig yn crebachu fwyfwy, fel pe bai hi'n ceisio gwneud ei
hun yn llai, yn ddim, yn y gobaith y gwnâi hynny ei mab yn
fwy o faint, yn iachach, yn fwy byw.

Aito yn y blaen wrth ei hochr, a hithau'n gyrru y tro hwn,
nid fo: cliw arall am annaturioldeb eu 'tro bach i'r traeth'.
Diolchai Suzie na fynnodd Aito yrru. Gwyddai nad oedd
o'n ffit i wneud, ond yn fwy na hynny, rhoddai'r weithred
ymarferol syml o lywio'r car rywbeth iddi ei wneud â'i dwylo

a'i thraed, a'i meddwl. Roedd eistedd yn llonydd yn anodd, gan fod angen llenwi pob twll rywsut, a dim ond siarad a allai lenwi twll mewn car yn cario'r cymar oes roedd hi ar fin ei golli.

A'r tro bach yn y coed, wedyn, yn haws hefyd o orfod gwylio pob cam o eiddo Aito. Cadw golwg ar y ddaear anwastad am wreiddiau a cherrig a chraig yn ymwthio i wyneb y llwybr. Ei fraich yn nhriongl ei phenelin, nes i'w law chwilio am ei llaw hi, i'r ddau allu cerdded yn gydradd, law yn llaw, yn lle'i bod hi fel yr ofalwraig ag oedd hi. Law yn llaw fel o'r blaen. Celwydd arall yn wyneb y twyllwr mawr.

Mae ganddyn nhw gynlluniau marw, fel cynlluniau geni. Nhw, y rhai sy'n arfer gyda'r pethau hyn, ac oes, mae yna rai sy'n arfer. Nhw yw'r angylion go iawn, y rhai sy'n lleddfu'r croesi. Y bobol sy'n byw ar y ffin, yn hwyluso'r pethau ymarferol, i'r pethau pwysig gael lle ar yr adeg bwysicaf un. Roedden nhw wedi trafod y cynlluniau gydag Aito a hi, wedi gofyn sut a ble ac ym mha fodd. Ac roedden nhw wedi addo'u presenoldeb ar y diwedd i adael iddi hi ac Aito wynebu'r gwahanu anorfod yng nghwmni ei gilydd heb rwystr, ac yn eu hystafell wely lle roedd cymaint o fyw wedi'i wneud.

Y caru wrth gwrs, a'r caru arall pan ddaeth plant, y caru-byw, plant yn bownsio ar wely, digerydd yn y cof, a haul drwy ffenestri ar wenau. Doedd nunlle'n fwy addas ar gyfer cau'r cylch. Yn dawel bach, roedd ofn ar Suzie na fyddai hi'n llwyddo i gadw'n ddigyffro pan ddeuai'r diwedd. Ofnai y byddai'r sgrechfeydd oedd wedi'u gagio tu mewn iddi yn ffrwydro allan ohoni. Ond roedd yr angylion wedi addo bod yno gyda hi, wrth law, yn help llaw, yn ddwylo, er mwyn i Suzie gael dal llaw Aito, yn union fel pe baen nhw'n mynd am dro drwy'r coed.

Nid felly y bu, a dyna pam roedd hi ac Aito yn yr ysbyty yn awr. Am gyfuniad o resymau, mi chwalodd y cynlluniau er gwaethaf ymdrechion yr angylion. Doedd y morffin ddim yn gweithio fel y dylai i Aito. Gallent fod wedi cynyddu'r dos, ond roedd hi'n rhy fuan, yn llawer rhy fuan. Ddoe, roedd o wedi cerdded i'r ardd i eistedd yn yr haul. Roedd cymaint mwy i'w ddweud wrth wely, mewn gwely, llawer gormod o eiriau ffarwél, diwedd rhy ffwr-bwt. A'r catheter wedi mynd o'i le ganol y prynhawn a'r nyrs fach a ddaeth i geisio'i osod yn iawn wedi mynd i banig braidd, a dewis anfon Aito i'r ysbyty, gyda'r bwriad o gael trefn ar y catheter, y cyffuriau a'r cyfan, iddo gael mynd adre'n barod i farw.

Ond yn yr ysbyty, cafodd ffit, a doedd y doctor ddim yn teimlo'i bod hi'n addas ei symud. Erbyn iddo ddod ato'i hun, roedd Aito yn amlwg yn llawer iawn gwannach gyda'r nos na phan aeth o i mewn i'r ysbyty rai oriau ynghynt. Byddai'n greulon ei symud, meddai Dr Maydree pan alwodd heibio iddyn nhw yn y stafell ochr un gwely, lle roedden nhw'n rhoi'r rhai nad oedd ganddyn nhw lawer yn weddill i'w dreulio yn y fuchedd hon.

Aeth Suzie i'r tŷ bach i grio ei siom tu ôl i ddrws y ciwbicl tra oedd y nyrsys yn gosod y pìn yn llaw Aito a oedd yn rhyddhau dos gryfach o forffin i'w wythiennau. Nid dyma'r cynllun, meddai wrthi ei hun. Dwi wedi methu dilyn y cynllun. Y peth lleiaf mae 'ngŵr i'n ei haeddu ydi i'w wraig wneud ei farw'n well, ac yntau wedi bod yno, yn gariad ac yn ŵr diguro iddi ers dros ddeugain mlynedd. Gwyddai Suzie nad oedd neb yn berffaith, ond roedd holl feflau bychain Aito, y ffordd roedd o'n casglu cwpanau coffi budron o'i gwmpas, y ffordd roedd o'n cau ei geg yn lle dadlau pan oedd hi'n chwilio am ddadl, y ffordd roedd o'n gwrthod gwylltio ynglŷn â'r amgylchedd fel roedd Suzie'n ei wneud 'am nad oes 'na bwynt gwylltio: gneud rhywbeth sy'n bwysig', roedd yr ambell fefl bychan yn rhan o'i berffeithrwydd. Oedd, roedd Aito yn berffaith. Un diffyg oedd ynddo: roedd o ar fin ei gadael ar ei phen ei hun.

Y nyrs Macmillan a awgrymodd y dylai Suzie ffonio'r plant. Am fod Aito yn hofran rhwng rhyw fath o gwsg a rhyw fath o effro, doedd Suzie ddim wedi disgwyl y deuai'r diwedd yn sydyn. Roedd hi wedi disgwyl camau. Bod yn effro, cysgu, coma, marw. Dylai fod yn gwybod yn well bellach, a'r cynllun marw wedi mynd i'r gwellt. Doedd hi ddim wedi cofio am y plant. Pe bai hi'n onest, Aito oedd wedi dod gyntaf i Suzie erioed, a doedd mamau ddim i fod i deimlo felly, mi wyddai, ond ni allai help. Pe bai hi wedi cael dewis rhwng cadw Aito a cholli un o'i phlant...

Wnaeth hi ddim gadael i'r syniad ffurfio'n llawn. Aeth allan i goridor y ward ganser ac estyn ei ffôn. Mi ffoniai Ishi Mai gyntaf, gan y byddai dweud wrth Gethin yn haws: fo neu Jackson fyddai'n codi'r ffôn.

Sylweddolodd yn rhy hwyr mai rhif y tŷ roedd hi wedi'i ddeialu, nid rhif mobeil Ishi Mai. Gweddïai nad ei mam fyddai'n ateb. Dyn a ŵyr beth a ddwedai wrth honno. Gwelodd ar sgrin y ffôn ei bod hi wedi hanner nos. Sut ar wyneb daear oedd hi'n mynd i ddweud wrth Ishi Mai o ran hynny?

'Helô? Pwy sy 'na?' Hi. Beth ddaeth dros ei phen hi'n deialu rhif ei mam?

'Fi, Mam. Ga i air efo Ishi Mai?'

'Efo pwy?'

O dduw mawr. 'Ishi Mai. Ma hi'n aros efo chi.'

'Do's neb fan hyn ond fi a Mam. Ma Mam yn cysgu,' meddai Hannah-Jane wrthi.

Rhaid ei bod hi'n drysu wrth gael ei deffro, meddyliodd

Suzie, a'r arswyd oedd eisoes yn ei stumog yn agor i lyncu'r gwirionedd erchyll hwn eto fod ei mam yn waeth o lawer nag oedd hi wedi'i feddwl. Fel arfer, byddai Suzie'n siarad gyda hi yn y dydd, ac Ishi Mai yno hefyd yn ddiweddar i gymryd y ffôn, a doedd ei mam ddim wedi bradychu rhyw lawer o anghofrwydd bryd hynny. Pan lithrai weithiau, roedd hi fel pe bai hi'n ymwybodol ei bod hi'n llithro, ac yn cuddio'i gwendid yn eithaf medrus: 'Ma Suzie allan yn tynnu llunia.' 'Ishi Mai, Mam, ddim Suzie, fi ydi Suzie.' 'Ia siŵr, Ishi Mai, dyna dwi'n feddwl. Cymysgu'ch enwa chi.' Roedd hi wedi gofalu ffonio bron bob dydd, tan y ddeuddydd diwethaf pan na chofiodd am fodolaeth ei mam rhwng popeth. Doedd hi ddim wedi bod yn ei gweld ers iddi yrru Ishi Mai i lawr o Lundain, ond roedd hi'n ystyried ei bod hi wedi rhyw lun o dicio bocs ei mam drwy fod Ishi Mai yno.

'Newch chi ddeffro'ch mam, 'ta?' mentrodd Suzie, a llyncu'n galed. Doedd camu i fyd meddwl drylliedig ei mam ddim yn hawdd.

'Be?' meddai Hannah-Jane wedyn. 'Am be w't ti'n mwydro? Ma Mam wedi marw, siŵr iawn! Yli, 'ma Ishi Mai i ti.'

'Mam, be sy?' Saesneg Ishi Mai fel llaw gysurlon.

Bob dim, meddai Suzie wrthi ei hun. Mae pob dim yn rong rong rong. Aito yn marw, a'i mam feddwl gwag yn fyw, ac Ayaka o fewn blewyn i'w chant.

Chwarae teg, mi ddeallodd Ishi Mai yn syth fod yna frys. Wnaeth hi ddim oedi i feio'i mam am adael pethau'n ben set cyn ffonio. Wnaeth hi ddim dannod iddi y gallai fod wedi ffonio pan aeth ei thad i'r ysbyty y prynhawn 'ma, ddoe, pryd bynnag oedd hi – a byddai'r daith o Lundain wedi bod beth wmbreth yn llai iddi. Fel roedd hi, roedd am alw tacsi i fynd â hi at y trên lle bynnag y câi drên yr amser yma o'r nos.

Dduw mawr, pam oedd gogledd Cymru mor anwaraidd o bell o bobman?

Byddai Gethin yma o fewn ychydig dros awr. Neidio i'r car a dod. Ar ôl siarad ag ef, ystyriodd Suzie ffonio'r tŷ, lle roedd dynes o'r pentref, Mrs Colleridge, yn gofalu am Ayaka. Roedden nhw'n lwcus iawn o Mrs Colleridge. Ar ôl ymddeol o'i gwaith fel gofalwraig broffesiynol, cytunodd i Suzie ei chyflogi yn ôl y galw. 'Y galw' oedd amgylchiadau marw Aito wrth gwrs, ac roedd Mrs Colleridge wedi deall hynny o'r cychwyn. Ac yn awr, gallai Suzie ddibynnu arni i ofalu'n gymwys am Ayaka. Ond doedd hi ddim wedi ystyried na fyddai Aito yn marw adre, o fewn cyrraedd i'w fam.

Deialodd rif ei chartref, ac ymddiheurodd yn llaes i Mrs Colleridge am ei dihuno. Gallai ddweud ar ei llais fod honno'n amau'r gwaethaf, ac mi ysgafnodd dipyn pan ddywedodd Suzie fod Aito yn dal ei dir am y tro. Gofynnodd Suzie iddi a oedd Ayaka ar ddihun. Cyn pen dim, roedd Mrs Colleridge wedi estyn y ffôn i'r hen wraig.

'Ayaka, cariad, fyddwn ni ddim yn dod adra. Fan hyn fydd hi. O'n i'n meddwl tybed fyddech chi isio bod yma, wyddoch chi, pan... mi allai Mrs Colleridge ddod â chi.'

Clywodd anadlu araf yr hen wraig ar ben arall y llinell ffôn. Ystyriaeth bwyllog arall, fel ei byw, un ystyriaeth bwyllog, gall.

'Mae gan Aito chi yno, Suzie, 'nghariad i. Dwi'n gwbod y gnewch chi ofalu amdano. Mi wna i aros yma i gofio ei fywyd.'

Daeth y llais nad oedd wedi colli ei oslef Siapaneaidd yn gysur i glustiau Suzie, a dechreuodd ei dagrau lifo'n ffynnon o'i chalon. Ceisiodd eu mygu, ond roedd hynny'n eu gwneud yn waeth. Daliai i glywed yr anadlu pwyllog rhwng ei hymddiheuriadau i'r hen wraig. Teimlai angen i'w glywed yn goflaid amdani. Hon, a fu'n fwy o fam na mam-yng-nghyfraith iddi.

'Mae'n ddrwg gen i…' ymdrechodd Suzie i beidio â chrio. 'Mae'n ddrwg gen i, Ayaka…'

'Carwch o ar ei ffordd, 'y nghariad i,' meddai Ayaka.

★

Pasiodd oriau heb iddi sylwi arnyn nhw bron iawn. Cyrhaeddodd Gethin. Cyrhaeddodd Ishi Mai. Y cyfan oedd yno oedd llaw Aito yn ei llaw hi. Ei sibrydion hi, na wyddai beth oedden nhw, wrth ei glust, wrth ei ben. Cusan ar dalcen.

Fwy nag unwaith, agorodd Aito ei lygaid dwfn a syllu i'w llygaid hi. Pe bai syllu'n ddigon i'w gadw, meddyliodd Suzie, gan ddweud wrtho gymaint roedd hi'n ei garu, cymaint oedd ganddi i ddiolch iddo amdano, pe bai syllu… ac yna roedd Aito wedi cau ei lygaid drachefn, gan adael Suzie'n meddwl ai dyna'r tro olaf?

Tynnodd Ishi Mai hi i'w breichiau, ond wnaeth Suzie ddim gollwng llaw Aito. Gadawodd i'w merch afael yn y llaw arall ar yr ochr arall i'r gwely, a chyrhaeddodd Jackson o rywle. Daeth Gethin â chadair oren arall o'r coridor i Jackson gael eistedd gyda nhw wrth y gwely lle roedd Aito yn fach, fach o dan y cwrlid gwyrdd.

Eistedd, aros, gwylio, cofio. Dechreuodd Suzie ddweud straeon amdanyn nhw ill dau'n fach gyda'u tad. Nid straeon, ond lluniau bach oedd ganddi yn ei phen o'r tad balch a'i blant. Y teulu perffaith. Go brin, go iawn, ond roedd y cyfan yn teimlo'n berffaith yn awr wrth edrych 'nôl. Ni fyddai Suzie wedi newid dim o'i bywyd ers iddi gyfarfod ag Aito.

Dechreuodd ymlacio wrth adrodd yr anecdotau bach teuluol, ac ymwrolodd Gethin ac Ishi Mai i gyfrannu atyn nhw, a Jackson yn holi am fwy o fanylion am y darluniau, yn ysu am wybod mwy am y teulu annwyl roedd o wedi cael ei dderbyn yn rhan ohono.

Cofio fi'n disgyn i'r afon, meddai Ishi Mai, a Dad yn neidio i mewn yn ei siwt am ei fod newydd ddod o'r gwaith. Disgyn wir, meddai Gethin, neidio i mewn wnest ti, a Dad yn gwybod hynny. Eisiau esgus i neidio i mewn ei hun oedd o. Haf poeth naw deg pump, meddai Suzie, afon Cam. Ddwedais i i ni fod yn pyntio? Do, meddai Gethin. Do, meddai Ishi Mai. Chi'ch dau'n pyntio yn eich oed chi! Chwerthin. Tyn ar y cychwyn, ond wrth i'r straeon esgor ar rai eraill, llaciodd y cyhyrau, y teimladau amrwd.

Ac yn sŵn chwerthin ei deulu, bu farw Aito.

# 7

Tynnodd Ishi Mai ei dillad, yn ddiolchgar am ofod digerydd y stiwdio. Gadawodd ei theits a'i sgert fer a'i nicyrs a'i bra ar lawr a chasglu'r tri chwpan a oedd wedi treulio'r dyddiau diwethaf ar y crêt a ddefnyddiai fel bwrdd coffi, ers i Beth a hithau ddod yno oddi ar yr orymdaith. Gadawodd Ishi Mai nhw yn y sinc heb eu golchi. Ni wnâi ychydig oriau eto nhw'n futrach. Ystyriodd fynd yn syth i'w gwely, er nad oedd hi eto'n chwech o'r gloch. Roedd hi wedi ymlâdd, a'r dyddiau diwethaf wedi herio unrhyw gamargraff oedd ganddi ei bod hi'n iachach nawr o fewn gwyntyn i'w thri deg saith oed nag y bu erioed. Mwythodd ei hysgwyddau a fu'n brifo dros hanner y daith o dŷ ei nain. Be gododd arni'n meddwl y gallai wneud y daith yno o Gaergrawnt i nôl ei phethau ac yn ôl i Lundain mewn ychydig o dan ddeuddydd?

Aethai dros wythnos heibio ers iddi golli ei thad, a doedd yr angladd ddim am wythnos arall. Roedd tipyn o fynd ar farw yn Comberton a Chaergrawnt fel ym mhob man arall, ac roedd ciwio'n orchwyl lawn mor berthnasol i'r meirw ag i'r byw. Cilio i Gwynedd Cottage at Ayaka wnaethon nhw, hi a Gethin a Jackson a'i mam, ac mi wnaeth Mrs Colleridge gadw cyrff ac enaid ynghyd a chadw allan o'u ffordd gymaint ag y medrai er mwyn iddyn nhw allu galaru'n breifat. Neu dyna oedd y bwriad, os nad fel digwyddodd hi, gan i lif cyson o gyngyd-weithwyr Aito a chydnabod o Gaergrawnt a'r cyffiniau ddod drwy'r drws.

Ayaka oedd y gryfaf o bob un ohonyn nhw. Er ei bod hi

wedi meddwl erioed ei bod hi'n adnabod ei nain ar ochr ei thad y tu chwith allan, sylweddolodd Ishi Mai yn fuan iawn yn y dyddiau ers i'w thad farw nad oedd hi wedi ei llwyr adnabod chwaith. Sawl gwaith y syllodd hi ar yr wyneb rhychiog hardd, ac i'r llygaid dyfnion hen er mwyn creu portreadau rif y gwlith o Ayaka dros y blynyddoedd, un neu ddau ohonyn nhw wedi ennill gwobrau am eu treiddgarwch, am eu hadnabyddiaeth o'r testun? Ond gwyddai bellach nad oedd hi wedi gweld dan haenau dyfnaf ei nain. Y wraig ifanc a adawodd Nagasaki gyda'i gŵr, fisoedd yn unig wedi i'r ddinas gael ei chwythu i ebargofiant gan y bom atom a laddodd gymaint o'i chydnabod. Y fam ifanc a gollodd ei gŵr gwta flwyddyn wedi geni ei mab. Y weddw ifanc a gâi'r fath sarhad o gegau llanciau, ac eraill yn eu hoed a'u hamser, wrth iddi gerdded strydoedd Llundain, ac Aito'n blentyn bach yn ei bram, flynyddoedd wedi i'r rhyfel orffen.

Doedd y Saeson ddim yn maddau'n hawdd i lygaid dieithr y fam, na'r mab pan ddaeth hi'n bryd i hwnnw fynd i'r ysgol. Ond erbyn dyddiau coleg Aito, a chyfarfod Suzie, roedd y rhan fwyaf ohonyn nhw wedi dechrau anghofio, a hipis wedi dod yn destun gwawd yn amlach na'r Jyrmans a'r Japs.

A dyma hi, adre o'r diwedd. Adre'n iawn, adre i aros, am y tro cyntaf ers saith wythnos. Beth oedd ganddi i'w ddangos am yr amser hwnnw, doedd Ishi Mai ddim yn siŵr. Roedd cyflwr meddwl ei nain wedi peri ychydig bach o syndod iddi. Bob bore, byddai ei nain yn edrych arni fel pe bai'n ei gweld am y tro cyntaf, ac er na fyddai'n dweud rhyw lawer, gallai Ishi Mai weld ei meddwl yn ymdrechu i afael mewn rhyw atgof, rhyw gliw, a ddangosai iddi pwy oedd y ddynes wallt tywyll a safai o'i blaen ar y landin yn ei chartref. Yna, wedi i Ishi Mai ei chyfarch, roedd y llais fel pe bai'n gosod rhywfaint o'r darnau yn eu lle, a byddai'n bwrw yn ei blaen heb ddangos iddi fod yn y niwl o gwbl.

Pan ffoniodd ei mam, wythnos yn ôl, roedd Ishi Mai wedi clywed ei nain yn dweud wrthi dros y ffôn mai ei mam hi oedd yn y tŷ. Mae'n siŵr mai dryswch dihuno o ganol breuddwyd oedd hynny, ond ar yr un pryd, gallai weld pa mor hawdd oedd llithro o lle roedd hi nawr, i ddryswch hwy a hwy bob dydd. Roedd Beth yn dweud wrthi yn y galwadau ffôn dyddiol iddi hi ac i'w mam fod yr hen wraig wedi drysu'n llwyr ers i Ishi Mai adael, a mynnai'n gwbl argyhoeddedig fod ei mam hithau wedi mynd a'i gadael. Byddai'n dod ati ei hun pan fyddai Beth yn ei hatgoffa mai ei hwyres fu'n aros gyda hi, a gallai swnio'n hollol iawn am sbel, nes y deuai rhyw ofn drosti eto, a'r caddug yn disgyn amdani, gyda'r nos yn enwedig, nes gwneud iddi ffonio Beth, neu fynd draw yno, mewn panig llwyr i chwilio am ei mam, neu bwy bynnag arall roedd hi wedi'i golli.

Roedd Ishi Mai yn amau nad oedd Beth yn dweud y cyfan wrthi chwaith. Byddai'n ychwanegu wrth gwt pob hanesyn am ei nain ei bod hi'n deall ei bod hi'n adeg anodd arnyn nhw i gyd, ac nad oedd hi am eu trafferthu â helyntion Hannah-Jane. Roedd 'na lawer i'w ddarllen rhwng y llinellau, a digon o ofid i'w gadw at eto, wedi'r angladd. Ond cafodd gipolwg drosti ei hun dros y ddeuddydd diwethaf, er i'w nain ymdawelu rhywfaint ar ôl deall pwy oedd hi; ac er iddi ffwndro rywfaint a cheisio honni mai allan i siopa roedd Ishi Mai wedi bod yn hytrach nag yng Nghaergrawnt am wythnos, daeth ati ei hun yn weddol yng nghwmni ei hwyres.

'Mae 'nhad wedi marw, Nain, dyna lle dwi wedi bod.'

'Pwy?'

''Y nhad. Aito. Gŵr Suzie, 'dach chi'n cofio? Dyn tal tenau, croen go dywyll...'

'Beth ddudist ti oedd ei enw fo?'

'Aito. Eich mab-yng-nghyfraith.'

'Does gen i ddim mab.'

'Mab-yng-nghyfraith. Gŵr Suzie. Eich merch chi.'

'Dwi'n gwybod pwy 'di Suzie, siŵr! Wyt ti'n meddwl 'mod i'n drysu? Does 'na ddim byd yn bod ar 'y nghof i.'

Haws oedd cau ceg, peidio â chynhyrfu'r dyfroedd. Doedd fawr ddim o'i le ar gof Hannah-Jane pan nad oedd galw arni i gofio neb na dim.

Edrychodd Ishi Mai ar ei ffôn. Byddai ei mam yma yn y bore i'r ddwy ohonyn nhw gael mynd i siopa am ddillad angladd. Doedd Ishi Mai ddim yn gweld pwynt cael dillad newydd, ond roedd ei mam yn benderfynol o gael cwmni Ishi Mai i ddewis siwt ddu addas. Rhaid bod y traddodiad capel Cymreig yn dal i redeg yn drwchus drwy ei gwythiennau ar adeg fel hyn, er gwaethaf pob ymddangosiad arall ei bod hi wedi troi ei chefn ar bethau felly.

Gwyddai Ishi Mai fod Hannah-Jane yn hanu o deulu crefyddol. Llinach hir o flaenoriaid, beth bynnag oedd pethau felly. Rhywbeth nad oedd menywod yn ei wneud, gwyddai gymaint â hynny. Rhaid bod ei rhieni'n siomedig fod y traddodiad patriarchaidd hynafol hwnnw'n dod i ben gyda Hannah-Jane, a dim gobaith yn y byd o'i adfer yn y dyddiau hynny chwaith wedi i Hannah-Jane gael merch.

Estynnodd am ei chamera, a rhedeg drwy'r lluniau a'r fideos roedd hi wedi'u creu dros y saith wythnos y bu yng Nghymru. Estynnodd y lîd i gysylltu'r camera wrth ei gliniadur, a gwasgodd ar y sgwâr a gynhwysai'r sgwrs a gawsai efo Hannah-Jane wythnosau'n ôl bellach.

'Rho'r peth 'na lawr,' meddai ei nain wrthi yn Gymraeg, gan fflapio'i llaw arni. Eisteddai wrth fwrdd y gegin a thafell o fara menyn yn ei llaw arall. Clywodd Ishi Mai ei llais ei hun yn dweud wrthi nad oedd hi'n deall, er ei bod hi'n gwybod yn iawn mai eisiau iddi roi'r gorau i ffilmio oedd Hannah-Jane.

'Rho fo lawr!' cyfieithodd ei nain ei gorchymyn. 'Tydw i ddim am berfformio i hwnna.'

Ei chwerthin hi wedyn, a'r camera'n ysgwyd wrth iddi ei osod i lawr ar bentwr o bapurau ar y bwrdd. Ni newidiodd y llun o'i nain gymaint â hynny.

'Ydi o wedi'i ddiffodd?'

'Ydi, Nain.' Llais yn unig, ac Ishi Mai yn llechu o'r golwg, rhag i'r camera weld ei chelwydd.

A daliodd y camera'r cyfan.

Hi, Ishi Mai, yn dweud wrth ei nain, 'Ro'n i isio gofyn i chi am...' Beth oedd hi i fod i'w alw? Nid Taid. Peth gweithredol oedd taid. Nid 'eich gŵr'. Nid 'tad Mam', am nad oedd gan ei mam dad.

'Am be?'

'Tad Mam.'

'Pwy?'

Ac ar gamera, roedd Ishi Mai wedi dal yr olwg a guddiai gyfrolau, a ddatguddiai lwyth o deimladau. Ofn? Oedd. Ofn y cwestiwn, ofn y cof? Oedd yna gof?

'Rydych chi'n gwybod pwy dwi'n feddwl.'

Syllu, syllu. Ydi hi'n cofio? Wrth gwrs ei bod hi, yr atgofion cynharaf sy'n diflannu olaf. Yn ôl y ffordd y siaradai am ei mam a'i thad, am Beti Tŷ Top, am Mari Nymby-Lefn, am Dic Bwtsiar, am Genod Tŷ Capel, am Beatrice Siop Ddodrefn, am Idw-bach Siop Barbwr, am Mrs Gweinidog Tomos, Bobi Grosar, Grace Roberts y Becws, Lizzie-Ann, a dyn a ŵyr, y cant a mil o rai eraill a liwiai ei breuddwydion liw nos, a'i stori liw dydd, roedd Hannah-Jane yn sownd mewn rhyw orffennol na chofiai fawr neb amdano heddiw. A gallai siarad am bob un fel pe baen nhw'n fyw, yma'n bod, yn llawn o liwiau llachar byw, nid du a gwyn a llwyd a brown a melyn y lluniau yn y bocs bach pren oedd ganddi rhwng y lluniau ar y ddreser yn y stafell fyw.

Daliai i edrych arni. Daliodd Ishi Mai ei gwynt wrth ei gwylio ar sgrin ei gliniadur. Ymdeimlai â sioc yr hen wraig fod rhywun yn gofyn y cwestiwn ar ôl iddo gael ei gadw dan glo mor hir.

Oedd, roedd ei mam wedi gofyn pan oedd hi'n tyfu i fyny, ac yn dal i fyw yng Nghymru. Cofiai Ishi Mai hi'n ail-fyw'r profiad o ysu am gael gwybod ac yn arswydo rhag cael gwybod ar yr un pryd. Neb i ti boeni yn ei gylch, dyna oedd Hannah-Jane wedi'i ddweud wrth Suzie y tro cyntaf. Ac roedd Suzie wedi difaru sôn, yn methu gofyn mwy, a 'run gronyn yn gallach.

Gofynnodd eto pan oedd hi'n disgwyl Gethin ac ni ildiodd mor hawdd y tro hwnnw. Paratôdd i ddygnu arni nes ei bod yn cael gwybod. Roedd Suzie wedi dweud wrth Ishi Mai, flynyddoedd yn ôl bellach, iddi fynd drwy gyfnod o ansicrwydd dros eni Ishi Mai, a'r beichiogrwydd newydd wedi ailgodi'r grachen, nes ei bod wedi gyrru ryw ddiwrnod i ogledd Cymru yn unswydd er mwyn gofyn i Hannah-Jane pwy oedd ei thad, a doedd hi ddim am adael cyn cael enw o leiaf.

Ac mi gafodd Suzie glywed unwaith eto na fyddai hi ddim haws o wybod. Ymbiliodd ar ei mam i ddweud mwy, ond drws caeedig a gafodd i'w holl gwestiynau. Welodd Hannah-Jane mohono fo wedyn, meddai wrth ei merch. Dyna fel roedd hi y dyddiau hynny, eglurodd. Dynion yn mynd a dod, gadael eu llanast ar eu holau.

Cysgod wrth fynd heibio. Dyna oedd Suzie wedi'i gael gan

Hannah-Jane. Hynna fach, a dim sicrwydd o gwbl fod hyd yn oed hynny'n wir.

'Beth oedd ei enw o?'

'Pwy?'

'Taid.'

'Does gen ti ddim taid.'

'Mae gan bawb daid, neu mi fu gan bawb un unwaith. Mi wrthodoch chi ddeud ei enw wrth Mam.'

'To'n i ddim yn gwbod beth oedd ei enw o.'

'Stopiwch, Nain.' Ei llais yn unig, nid ei llun. Llais yr oen yn ceryddu'r ddafad.

'To'n i ddim.' Ei llygaid yn fawr, fawr. Estynnodd y dafell i Ishi Mai, nad oedd yn y llun.

'Dim diolch. Bwytwch chi fo.'

Ac fe fwytaodd Hannah-Jane y dafell. Fesul cnoad. Cnoi'r crwstyn bach tenau, a'r darn meddal. Cnoi'r cyfan a'i meddwl ar y cwestiynau dieithr hyn gan ei hwyres. Clywodd Ishi Mai hi'n bwyta heb ddweud gair, a'i hanadl ei hun am yn ail â'r cnoi.

'Ddudodd Mam wrtha i am gael 'i gwarad hi,' meddai Hannah-Jane yn Gymraeg. Wnaeth Ishi Mai ddim gofyn iddi gyfieithu, câi ofyn i rywun arall, i'w mam efallai, wneud hynny eto. Tybiai y byddai'n elwach iddi adael i'r hen wraig siarad, dilyn ei thrywydd ei hun. 'Nesh i wrthod. To'n i'n ddynes 'yn hun erbyn hynny. Dwi'n ddynes 'yn hun, Mam, dwi'n 'i chadw hi, mi neith hi'n brawf o be ddigwyddodd.'

Doedd hi ddim yn edrych ar Ishi Mai wrth ddweud y pethau hyn.

'To'dd cael gwarad ar fabis ddim yn gyfreithlon yn y dyddia hynny, ond oedd Mam a Dad yn nabod rywun. Dyna oeddan nhw isio i fi neud.'

Gwyliodd Ishi Mai y sgrin, yn deall dim. Ond roedd hi'n amau'n gryf fod llawer fan hyn a daflai oleuni ar ei hymchwil i bwy oedd hi. Un gangen o'i llinach. Pa mor fuan allai hi ddod o hyd i rywun a siaradai Gymraeg? Roedd hi wedi dweud wrthi ei hun na ddylai ddangos hwn i'w mam tan ar ôl yr angladd, tan y byddai Suzie'n dechrau gwella. Doedd hi ddim yn deg iddi wneud hynny nawr.

Ond wrth wrando ar y llif o eiriau dieithr, teimlai Ishi Mai gnoi yn ei stumog, a'r awydd i wybod beth roedd Hannah-Jane yn ei ddweud yn bygwth mynd yn drech na hi.

'Ond wnawn i ddim o hynny. O'n i isio dangos. I mi fy hun os nad i neb arall. Ei fod o *wedi* digwydd. Rhag i mi anghofio.'

Tawelwch. Cofiai Ishi Mai nad oedd hi wedi mentro siarad, rhag atal y llif, beth bynnag oedd ei gynnwys.

'Mi nath o ddigwydd, do, Susan?'

Edrychai i lygaid Ishi Mai y tu hwnt i lygaid y camera, a nodio'i phen i geisio cadarnhau ei geiriau.

'Yn do, Susan?'

Cwestiwn na ddeallai Ishi Mai, cwestiwn i'w mam.

Cadarnhaodd Ishi Mai beth bynnag roedd ei nain am iddi ei gadarnhau. *Yes.*

''Swn i 'di medru cael gwarad arna chdi...' Ac yna roedd yr eiliad wedi'i cholli, a rhyw sylweddoliad yn gwawrio ar ei hwyneb. 'Nid Susan wyt ti,' meddai yn Saesneg. 'Mai wyt ti.'

'Ia, Nain... ond ro'n i'n gofyn i chi am Susan. Am ei thad hi...'

'Cythraul diwerth.'

'Be, Nain?' Ac mi gyfieithodd ei nain i Ishi Mai: 'Useless little shit!' meddai.

Bron na chlywai Ishi Mai ei hun yn tynnu gwynt wrth glywed ei nain yn rhegi. Ac yna roedd Hannah-Jane wedi codi ar ei thraed, yn ôl mewn rhyw fath o bresennol unwaith eto.

'Hoffet ti banad?'

'Ia, iawn...'

Ac roedd hi wedi gwasgu'r botwm i ddod â'r ffilm i ben.

Ffeiliodd Ishi Mai y fideo o dan y pennawd *Project Nain #4*. Doedd gweddill ei fideos ddim mor gynhyrchiol o ran yr ymdrech i gael Nain i sôn mwy am daid Ishi Mai, ond roedd pob un yn allweddol i'r cyfanwaith. Pan gâi amser ymhen rhai wythnosau – pan nad oedd ganddi ddillad angladd i'w siopa, nac angladdau i'w mynychu, a galar am dad yn cnoi mymryn llai ar ei hymysgaroedd – câi weithio arnyn nhw, ar eu cyfieithu a'u dethol a'u torri i greu'r fideo cefndirol i weddill y cyflwyniad amlgyfrwng, yn gynnyrch clai a phaent a siarcol, a deunyddiau eraill a gasglodd yn nhŷ Nain: bagiau te wedi'u defnyddio, yr antimacasars lesiog â gwawr felyn traul amser arnyn nhw, y tiwb Steradent, pacedi tabledi gwag, o blith cant a mil o fân betheuach eraill na welai ei nain mo'u colli.

Teimlodd Ishi Mai y lwmp cyfarwydd yn ei brest, yr un a fu yno ers rhai misoedd, ond roedd o wedi tyfu i'w llwnc ers yr wythnos diwethaf. Ni fyddai unrhyw belydr-X yn y byd yn gallu ei ddarganfod, ond roedd o mor real a phresennol i Ishi Mai ag unrhyw ymgnawdoliad ffisegol: lwmp ac enw ei thad arno.

Rhaid fyddai ymollwng i hwnnw am nawr, a dychwelyd ryw dro eto at y prosiect. Yng nghefn ei meddwl, er hynny, roedd hi eisoes yn gwybod mai dyma fyddai ei chreadigaeth orau.

# 8

LE AETH HI? Roedd hi yma funud yn ôl. Damia! Fatha tywod drwy ridyll, felly mae hi efo pawb. Pen rownd drws, a gadael. Mynd a dod rownd ril. 'Sa well gen i lonydd.

Ddim felly oedd hi. Bysa rywun yn tŷ 'ma rw ben drwy'r dydd, isio galw, isio siarad. Bob dim yn ddyletswydd 'di mynd. Honna drws nesa, be-'di'i-henw-hi, jest er mwyn teimlo'n hunangyfiawn, fatha taswn i'n rhy hen i fynd i brynu torth a finna'n ffitiach na hi, beryg. Golwg hen arni.

Falla'i bod hi'n neud ffafr â Mam, teimlo rw ddyletswydd. Felly roedd hi slawar dydd, cadw llygad drost 'yn gilydd, plant y gymuned oeddan ni, a phawb yn cyfrannu. Mari Nymby-Lefn bechod yn mynd â fi i'r ysgol pan oedd Mam yn sâl a Dad yn siop, ac Idw-bach Siop Barbwr yn dod i fy nôl i, a Mam wedyn yn cymyd Emyr-ara-deg, nai Mari Nymby-Lefn bechod, i mewn pan fuodd 'i fam o farw o beritoneitus 'rôl methu geni.

Rŵan...

Rŵan, dwn i'm. Sna'm siâp 'run fath ar rŵan. Yn wahanol i slawar dydd, ma pawb mor barod i gyffwrdd, i gofleidio. Fysan ni byth yn arfar gneud hynny, ond slawar dydd, doedd 'na'm raid. 'U cydwybod nhw sy'n pigo heddiw, debyg, am ada'l i linynna'r lle 'ma lacio, a rw geisio gneud iawn am 'u methiant ydi'r cofleidio gwirion sy gynnyn nhw.

Mi alwodd Mari Nymby-Lefn bechod heddiw eto. Isio tshecio'r switshys. Dwn i'm pam, raid bod rw broblem efo gola'n lle 'ma. Mi adawish iddi. Rwbath ddigon clên am Mari.

A dim hen hygs dibwrpas gwirion. Mwytha, dyna fysa Mam yn alw fo. Ond peth rhwng plant a'u mama ydi mwytha, nid i neb arall.

Doedd Mam ddim yn un am fwytha fel oedd hi galla.

Ddoth hi 'nôl. Honna. Gredish i mai Mam oedd hi. Ond raid 'mod i'n ffwndro. Doedd hi ddim byd tebyg i Mam.

Mi wna i banad. Panad. Panad o be? Te. Oes 'na goffi? Siŵr 'sa panad o goffi'n well. Gin i awydd coffi. Lle mae o, 'da?

Dwi'n agor a chau drysa cypyrdda a sgin i'm affliw o syniad am be dwi'n chwilio.

Panad 'sa'n dda. Panad boeth o de hefo llaeth tew Bobi Grosar yn 'i llygad hi, ddim hen goffi sur. Mond chwaer Mari Nymby-Lefn bechod oedd yn yfad coffi. A ma pawb yn gwbod be ddigwyddodd iddi hi.

Be ddigwyddodd, 'dwch? Rwbath ma siŵr. Ma rwbath yn siŵr dduw o ddigwydd i ni i gyd os 'roswn ni'n llonydd ddigon hir. Ond i bwy digwyddodd o tro hwnnw? Arglwy', ma'n anodd meddwl.

Yn enwedig hefo rywun yn cnocio drwy'r amser.

'Hannah-Jane?' Llais drwy letyr-bocs.

'Sa well mi agor. Llais-be-'di'i-henw-hi. Lleisia drw letyr-bocs sy gynnyn nhw dyddia yma, ma raid, nid llythyra. Doniol.

'Dow, ma rywun yn hapus,' medd y gloman wrth 'y ngweld i'n chwerthin wrtha i fy hun wrth feddwl am leisia'n lle llythyra drw letyr-bocs. 'Be sy?'

'O, dim byd,' medda fi a chwifio'n llaw. 'Dim byd fysa chdi'n 'i ddallt.'

'Meddwl 'swn i'n galw i weld sut ydach chi. Siŵr bo chi'n gweld colli Ishi Mai.'

'O ia.' Gwell cytuno. Ddim bod gin i syniad... 'Mai w't ti'n feddwl? Ma'i 'di mynd adra.'

'Do! 'Na chi! 'Dach chi'n cofio!'

'Wel ydw, siŵr dduw. Does 'na ddim byd yn bod efo 'nghof i.'

'Nag oes, siŵr. Tydach chi'n cofio pawb fuo'n byw yn dre 'ma erioed.'

Be mae'n feddwl ydi hi? Athrawes babanod? Faint mae'n feddwl 'di'n oed i? Bitsh nawddoglyd.

'Ddim *pawb*.' Dwi'n gwenu'n wenieithus. A hithau'n chwerthin. Jolpan.

'Gymwch chi banad?' Hei! Pwy sy'n byw 'ma, chdi neu fi? 'Steddwch chi. Mi 'na i banad i chi, 'lwch.'

'Dwi'n berffaith abal i neud panad yn 'y nhŷ fy hun, diolch yn fawr.'

'Ydach, ydach. Jest meddwl fysach chi'n licio un.'

Meddal 'di meddwl. Dwi 'di'i bwrw hi odd' ar 'i hechal, o gefn 'i cheffyl. Da 'ŵan!

'Na fyswn,' medda fi. 'Dwi newydd gael un.'

'O... reit. Mi stedda i felly.'

'Sna'm isio chdi o'n rhan i. Ma gin i gwmni.'

Mae hi'n syllu'n wirion arna i. Ydw i 'di'i phechu hi? Ydw, gobeithio.

'Oes,' medda fi wedyn. Dwi'n dechra simsanu. Mi fuo gin i gwmni. Yn do? Cyn i hon lanio?

'Mari Nymby-Lefn bechod,' medda fi. 'Ma hi'n tshecio'r switshys.'

'Yr hogan lectric 'dach chi'n feddwl? Mi sonioch chi wrth Dafydd 'i bod hi 'di... O, 'dio'm bwys.'

'Dafydd? Pwy sgin ti rŵan? Mari Nymby-Lefn o'dd gin i.' Dwi'n difaru dechra ar hyn. Pam na allwn i fod wedi cadw Mari'n gyfrinach? 'Isio tshecio rwbath. Ma'i 'di mynd rŵan.'

Gobeithio'n enw'r tad na neith hi mo'i chlywad hi'n symud yn to.

'Reit…'

Nesh i'r mistêc o ddechra deud wrth Mai 'mod i'n clywad syna yn y to gynna, cyn iddi fynd yn ôl i Loegr (Ha! Dwi *yn* gwbod y petha 'ma!). Mi drychodd arna i'n wirion. Dwi'm yn cofio be ddudodd hi, ond oedd hi'n amlwg yn meddwl 'mod i'n drysu, a lwyddish i i gyfro, dwi reit siŵr o hynny.

'Peidiwch ag agor y drws i bobol 'dach chi'm yn nabod,' medda hon rŵan, fatha taswn i'n hurt.

'Faint w't ti'n meddwl 'di'n oed i? Pump?'

'Jest deud…'

'Dwi'n nabod Mari Nymby-Lefn, siŵr iawn!'

'O'n i'n meddwl bo chi 'di deud o'r blaen mai yn rysgol efo chi oedd Mari Nymby-Lefn…' Mae hi'n sbio'n rhyfadd arna i.

'Naci siŵr,' medda fi i'w rhoi hi'n reit. 'Ma Mari ddeng mlynedd dda yn hŷn na fi, mae ganddi chwaer sy 'run oed â Mam.'

''Dach chi'n siŵr mai hi oedd 'ma…?'

'Wel, yndw, ma gin i bâr o lygid fatha chdi.'

Tydw i'n 'i gweld hi rownd ril. Hi a Nedw.

Yn y nos fydd Nedw'n cyrraedd, a gas gin i'i weld o pan fydd o'n dod. Ond mae o'n cael clywad 'chydig o wirionedda. Mi oedd o a Mam wrthi neithiwr, lladd ar 'i gilydd, a finna'n canol yn deud wrth y ddau ohonyn nhw am gau'u penna. Peth rhyfadd na fysa hon wedi clywad, ma'r walia mor dena.

Ond tydi Nedw na Mari Nymby-Lefn bechod na Mam yn ddim busnas i hon.

'Mi nath Susan ffonio gynna i ddeud bod hi 'di cyrraedd 'nôl yn saff,' medda fi'n ffeind, jest i ddangos 'mod i'n licio i hon alw bob hyn a hyn. Un fach ddigon diniwed ydi hi'n y bôn, a ma'i'n cael amser cythreulig gin y gŵr 'na sy gynni. Alcoholic. Diflannu i Gaerdydd am wsnosa bwy gilydd.

'Mai. Go dda.'

'Mai ddudish i.'

'Ia.'

'Yr idiot 'na br'ododd hi 'di cymyd y goes.'

'Pwy…?'

'Y fforinyr. Mae o 'di cymyd y goes.'

'O… Aito 'dach chi'n feddwl. Na, Hannah-Jane fach, 'di marw mae o.'

Mae hi'n troi ata i wrth ddeud hyn, yn gafael yn fy llaw i, a gneud llygaid Mrs Gweinidog Tomos arna i.

'W't ti'n meddwl 'mod i'm yn gwbod? Ma gin i gôt angladd fyny grisia'n brawf 'mod i wedi bod yno.'

'Wsnos nesa…' mae hi'n dechrau. Ond dydi hi ddim yn deud be sy wsnos nesa. Yn lle hynny, mae hi'n tynnu darn o bapur o'i phoced a chodi i chwilio am feiro. Cyfle iddi fusnesa eto.

'Beiro…' medda hi gan godi'r pentyrra o bost rwtsh sy wedi casglu o gwmpas y stafell. Daw o hyd i bensal. 'Dwi am sgwennu'n rhif mobeil i lawr i chi, jest rhag ofn na fydda i'n tŷ rw ddiwrnod a chitha isio rwbath. Mi fydd y mobeil gin i bob amser, 'lwch.'

A dyma hi'n sgwennu'r rhif i lawr, a sgwennu 'Beth drws nesa' lawr wrth 'i ochr o. Anfarth o rif na fedar o fod yn un iawn. Raid bod hi'n meddwl 'mod i'n wirion. Hi, be-'di-i-henw-hi?

Ac o rwla mae o'n dŵad yn ôl i mi. Beth! Beth! Beth yn y byd? medda fi yn fy mhen, a dwi'n cyfarth rhyw chwerthiniad bach wrth feddwl mor wirion ydi galw rhywun yn gwestiwn, ond tydi hi ddim fel tasa hi'n sylwi.

'Mae o gin i'n barod.' Dwi'n estyn fy llyfr rhifa ffôn o 'mag i ddangos iddi.

'Ddim y mobeil,' medda hi. Sut uffar mae hi'n gwbod be sy gin i?

Dwi'n agor y llyfr rhifa ffôn, ac mae 'na sgribls arno fo 'mhobman. Pwy sy 'di bod yn mela hefo'n llyfr i?

'Am gythral o stad sy ar hwn,' medda fi. Mae hi'n chwerthin.

'Na feindiwch, ddylsach chi weld 'yn un i,' medda hi.

'Ddim fi nath hyn,' medda fi wrth agor un o'r tudalennau a gweld rhyw sgribls yno nad ydyn nhw'n neud mymryn o synnwyr. 'Ma rywun 'di dwyn 'yn sgrifen i!'

'Na feindiwch,' medda hi wedyn wrth 'y ngweld i'n dechrau ypsetio, a chodi ar ei thraed. Mae hi'n gosod darn o bapur ar silff ben tân. Darn o bapur efo rhif ac enw arno fo, na fedra i'i weld o lle dwi'n sefyll. Mi witsia i iddi fynd, a mynd i sbecian wedyn.

'Mi rown ni hwn ar silff ben tân i chi gael ei weld o'n hawdd, ac mi gadwn ni'r llyfr yn rwla...' medda hi wedyn gan sbio o'i chwmpas.

A heb air o gelwydd, dyma hi'n gosod fy llyfr rhifa ffôn i ar ben y seidbord, fyny'n uchel, allan o 'nghyrraedd i. Be ddiawl sy matar arni? Mi fydd raid i mi sôn wrth rywun amdani, 'i bod hi'n mynd yn dw-lal.

Wedyn, a hyn 'di'r peth rhyfedda, mae hi'n gweld 'mod i wedi'i gweld hi'n ei roi o fyny ar ben y seidbord, ac mae'n amlwg 'i bod hi'n penderfynu ei bod hi'n rhy beryg ei guddiad o'n y fan honno rhag ofn i mi fynd i ben stôl i'w nôl a disgyn a thorri 'ngwddw. Dwi'n medru gweld 'i meddwl hi'n gweithio!

'Rown ni fo'n drôr,' medda hi wedyn, a dwi'n ei dilyn hi i'r gegin i'w gweld hi'n gwasgu'r drôr llieinia sychu llestri ar gau, gloman wirion.

'Gymi di banad?' gofynnaf iddi, wrth weld cwpan de â bag te ynddi'n barod ar y wyrctop. 'Chesh i'r un bore 'ma.'

'Cymaf,' medda hi ac anelu am y ffrij. 'O! 'Dach chi allan o lefrith,' medda hi wedyn.

'Uwd,' medda fi. Sgin i'm cof i mi'i neud o bore 'ma, ond mi fysa'n gneud synnwyr i egluro pam nad oes 'na lefrith.

'A' i lawr i siop rŵan,' medd yr Iesu-grist-bach ag ydi hi. 'Fydda i ddim chwinciad.'

A dyma hi'n mynd allan yn ei hwyliau, fatha tasa 'na esgyll yn tyfu allan o'i sgwyddau hi.

Rŵan 'ta. Be am banad cyn iddi ddod 'nôl? Ddudodd hi rwbath am lefrith? Do. Lle dwi'n gadw fo? Agor drysa cypyrdda. Ddim fanna. Ddim fanna. Ddim fanna.

Dyma fo, drws nesa i'r badall ffrio! Llefrith potal blastig. Dyna fo, joch bach yn y gwpan. 'Nôl i'r cwpwrdd dan sinc. Siwgr.

Siwgr...? Lle dwi'n gadw fo? Agor drysa cypyrdda. Ddim fanna. Ddim fanna. Ddim...

Be oedd o? Panad. Te. Siwgr... Siwgr!

Stafell nesa, siŵr o fod. Siwgr. Oedd 'na rwbath am ben seidbord. Fanna felly. Lot lot lot rhy uchel i fi fach ar fy mhen fy hun. Stôl? Stôl. Wei bach... fel'ma ma gneud. Gosod y stôl o flaen y seidbord, gofalu'i bod hi'n solet ar lawr. Pedair troed yn sgwâr. Lot o bobol yn disgyn oddi ar stolion sy ddim yn solet ar lawr yn eu lle, dyna fo. Penigamp!

Siŵr mai fanna mae o. Be 'da? Cofio rwbath am ben seidbord. Mae 'na rwbath yno, cofio'n iawn. Ddim yn siŵr be, ond fanna mae o. Y siwgr, siŵr dduw!

Codi'n sgert i blygu 'nglin. *Fyny* â chdi, Hannah-Jane bach! *Fyny* â chdi!

A lawr â fi!

# HYDREF

*A*R YR ERCHWYN, *mae hi'n gwylio'r tonnau. Daeth awch i lafn y gwynt, ac nid glas yw'r môr bellach. Mae ei wyrdd yn merwino'r tir, a'r cesig gwyn yn bygwth.*

*Wrth gerdded ar hyd cyrion y dre, gwêl fod yr haf wedi gollwng ei lwyth bellach, wedi chwydu'r holl fwyar ac aeron dros y llwybrau, a'r dail i'w canlyn, nes dechrau mynd yn sbloetsh ar lawr. Cwyd o'r gwaelod er mwyn gweld y dre'n well o'r uchelfannau, a gwêl y tyfiant yn gwaedu'n goch a melyn rhwng y llwyd, nes creu carthen glytwaith gain, a chyfoeth o liwiau a gweadau amrywiol, carped hud i ddiflannu dros orwel yn rhywle, neu i sgubo llwch a baw oddi tano o'r golwg.*

*Ond yng nghanol y dre, teimla'n oer fel pe bai'n sefyll uwchben gwacter, a'r gwynt o'i chefn yn ceisio'i gwthio iddo. Pydew tywyll yr anwybod oddi tani, bygythiad o eira, a phwy a wŷr pa ddyfnder o oerfel.*

*Eistedda yng nghysgod yr adeiladau sydd â'u cefnau at y gwynt yn gwylio pobol grwm yn ymlafnio ag ymbaréls, ac yn prysuro'u camau dros gerrig llithrig. Mae pwrpas i'w mynd a'u dod bellach, a llai o oedi i siarad. Diolcha am ddistawrwydd pobol weithiau, a thro arall, wrth i'r gwynt wthio'i lafn yn ddyfnach i gnawd y dre, a chwipio'n fyddarol o amgylch ei chlustiau, hoffai pe bai rhai'n oedi i ddweud eu dweud.*

*Ond be sy 'na i'w ddweud? Mae'r dweud i gyd wedi'i wneud. Gwell gan bawb ddiflannu i'w tyllau, cau'r drysau'n glep a'u cloi, a chilio tu ôl i'w llenni, i sbecian allan heibio iddyn nhw weithiau i weld beth allan nhw ei weld.*

*Does dim ffraeo ar strydoedd, mae'n rhy oer, a'r dadleuon wedi suro a sychu. Chwytha stormydd drwy goed y maes gan eu chwipio'n noeth, chwthwm ar ben chwthwm, pob un fel anadl ddofn yr ymollwng i'r anorfod.*

*Gwylia. Gwrandawa. Gwêl fam yn galw ar blentyn dros ben*

udo'r gwynt. Yno mae hi, a'i llaw ar goetsh, lle mae plentyn arall wedi'i gaethiwo. 'Aros!' gwaedda ar y plentyn sy'n rhedeg yn rhydd. 'Aros!'

Ond dydi'r plentyn ddim yn clywed, neu ddim eisiau clywed.

'Aros!' gwaedda hithau'n uwch, nes troi'n sgrech, a gedy'r goetsh o'i hôl, wrth i'w choesau a'i chalon lamu ar ôl y plentyn sy'n saethu o'i gafael yn syth i gyfeiriad llif y traffig.

Rhed, a'i gwynt yn ei dwrn, ei hanadl yn ei gwddf, ei chalon yn ei stumog a'i dagrau yn y gwynt. 'Stopia! Na! Stopia!'

Geilw ei enw, gwaedda, sgrechia.

Clyw hi'r ofn yn llais y ddynes, ac mae ei chalon yn gwaedu drosti. Mae hi'n rhy bell i helpu, i wneud dim byd, i newid dim byd. Ni all wneud dim ond syllu a gweld. Daw amser y caiff wneud rhywbeth. P'un ai anadlu anadl o ryddhad, neu gysuro dynes orffwyll, nid yw'n gwybod. Yn yr eiliad hon, does dim ond arswyd.

Does dim ddoe nac yfory, dim twyll na ffaith, dim dod na mynd, dim aros na gadael, dim byd ond arswyd yr anwybod a'r gwybod.

Ymlaen yr â'r plentyn, yn syth am lif y traffig. Mae ei fam bron â'i ddal, ond mae o allan o'i chyrraedd, a dim arwydd ei fod am droi'n ôl.

Maen nhw i gyd yn hongian ar yr erchwyn.

# 9

Mi wnest waith da, meddyliodd Ishi Mai gan fwrw ei threm dros y stafell fawr a gynhwysai gynnyrch ei chrefft a'i gweledigaeth dros y pum mis diwethaf. Un stafell, ond roedd iddi gorneli a chilfachau, cysgodion a llafnau o olau o'r lampau a hongiai o'r nenfydau a'r hyn a fyddai'n olau dydd yfory o'r ffenestri yn y to. Oriel iddi hi ei hun, hanner llawr yn yr adeilad tri llawr, iddi hi ei hun. Fisoedd yn ôl, roedd hi wedi gorwedd â'i phen yn ei phlu am ddeuddydd ar lawr ei stiwdio, yn gwrthod ateb y drws na'r ffôn i neb, wrth i don anferthol, tswnami o amheuaeth, ei tharo, gan sugno pob owns o hyder a fu ganddi erioed. Oedd, roedd yr arddangosiadau wedi'u cynllunio, a'u casglu a'u creu, ond doedd ganddi ddim syniad sut oedd y cyfan yn mynd i ddod at ei gilydd go iawn.

Heno, roedd hi'n fodlon ei byd. Cawsai benwythnos cynhyrchiol yn gosod yr arddangosiadau yn eu lle gyda chymorth Hugo a staff yr oriel, ac ers dwy awr, roedd hi wedi sefyll ym mhob troedfedd sgwâr o'r cynllun llawr ac wedi edrych o'i chwmpas ar y cyfan: yn y canol, rhwng cynfasau mawr gwyn a hongiwyd o'r nenfwd, roedd fideo'n rhedeg o'r ffilm o'i nain, dros ddeugain munud o hyd, a chyfieithiad ar y sgrin o'i geiriau, cynnyrch sawl eisteddiad – gyda chaniatâd Hannah-Jane, a hebddo weithiau, pan oedd Ishi Mai wedi gadael i'r ffilmio barhau, a hithau wedi cynllunio ymlaen llaw ble i osod y ffôn neu'r camera, fel na chollai ddim o fynegiant wyneb yr hen wraig wrth iddi fynd drwy ei phethau; yna, o gwmpas y waliau ac mewn gofodau eraill, roedd hi wedi gosod cyfuniad o gelfyddyd gain, lluniau siarcol o wyneb ei nain mewn manylder eithriadol, mor fanwl weithiau nes na ellid gweld mai wyneb oedd cynnwys y darlun heb ddarllen yr esboniad; gosodiadau mwy cysyniadol, fel y bath a'r gadair fath a'r rwber gwrthlithro a'r biben rwber â'r pen cawod rwber a oedd yn ailymgnawdoliad fwy neu lai o'r hyn oedd gan Hannah-Jane yn ei stafell ymolchi, ond y bath a'r gweddill wedi'u codi ar ongl o naw deg gradd, nes bod y bath yn cynrychioli'r corff dynol; y cwpwrdd cegin o'r chwe degau, annhebyg i ddim a oedd gan Hannah-Jane mewn gwirionedd, ond roedd y mathau hynny o gypyrddau bob amser wedi atgoffa Ishi Mai o'i nain; a'r lled-haniaethol wedyn, llun anferth o'i nain a orchuddiai wal gyfan, mosäig wedi'i greu o lungopïau o betheuach henaint, bocsys Steradent, tuniau Spam, *souvenirs* o Bournemouth a Thywyn, doliau crosio i orchuddio rholiau tŷ bach, lluniau mewn fframiau di-ben-draw o blant yn gwenu, sbectolau ac offer clyw, a chant a mil o bethau eraill a berthynai i 'neindod'. Ofnai Ishi Mai fod y cywaith hwnnw'n rhy debyg o ran cysyniad i'r llun o Myra Hindley gan Marcus Harvey, chwarter canrif cyn hynny, wedi'i greu o filoedd o luniau o ddwylo plentyn. Ond roedd cannoedd o artistiaid wedi defnyddio dull mosäig, barnodd, doedd dim byd yn newydd yn hynny. A beth bynnag, roedd ganddi wal i'w llenwi.

Gallai, mi allai ddweud bellach ei bod hi'n hapus gyda'r cyfanwaith. Y cur pen gwaethaf yn y diwedd oedd beth i alw'r arddangosfa. Ceisiodd greu enw o Nain gan chwarae ar Nain-ty. Ond dogn fach iawn o gynulleidfa Llundain fyddai'n deall y 'nain'. Yn y diwedd, bodlonodd ar symlrwydd 'Hannah-Jane Jones'. Roedd yn enw a berthynai i oes arall, ac roedd y Jones yn ei blannu'n bendant yn naear Cymru, fel na fyddai angen esbonio'r Beiblau a'r llyfrau emynau Anghydffurfiol Cymreig a oedd wedi'u gosod yn bentwr mewn cornel, pob cyfrol wedi hanner ei llosgi, i gyfleu'r cilio a wnaethai ei nain oddi wrth draddodiad y capel. Yn is-deitl, roedd hi wedi dewis 'Secrets'.

Deuai stori Hannah-Jane yn glir i'r sawl a gerddai o un pen i'r oriel i'r llall gan astudio pob gosodiad a darlun yn ei dro. O'r cwilt 'Cymreig' a greodd Ishi Mai o gopïau o luniau o fabanod a phlant yn ystod tri degau'r ganrif ddiwethaf (twyll i raddau, gan na ddarganfu Ishi Mai fwy na dau neu dri o luniau o'i nain yn ferch ifanc, a gobeithiai na fyddai neb yn cwestiynu'r lluniau o blant eraill o'r cyfnod yr oedd hi wedi gosod wyneb ei nain arnyn nhw) i'r tâp sain yn y gornel bellaf, yn ddigon pell o leoliad y fideo rhag i'r ddau sŵn amharu ar ei gilydd; ac o eiriau ei barddoniaeth hi ei hun wedi'u llafarganu ar donau emynau Cymreig, barddoniaeth a fynegai wacter a cholled clefyd Hannah-Jane heddiw, ond hefyd y ffordd roedd cyfrinachau'r gorffennol yn ei bradychu drwy'r clefyd wrth iddi fethu â'u cadw mwyach.

'Dwi ddim am wbod,' oedd ei mam wedi'i ddweud, pan siaradodd â hi am gynnwys yr arddangosfa rai wythnosau ynghynt. 'Mi fydd yn fwy amdana i nag amdani hi,' meddai wrth Ishi Mai pan ddeallodd fod y fideo y bu hi'n cyfieithu ei gynnwys i'w merch yn rhan mor ganolog o'r gwaith. Ac roedd Ishi Mai wedi dadlau, na, mai'r bwlch i Hannah-Jane, bwlch lle dylai cariad, gŵr, tad ei phlentyn fod, dyna oedd yn bwysig. Dyna fyddai ffocws y gwaith. Doedd dim yno a gyfeiriai at ei mam ar wahân i un llun siarcol mawr o Hannah-Jane yn ifanc, a baban ar ei bron, llun a greodd Ishi Mai o'i dychymyg. A chynnwys y fideo wrth gwrs.

Roedd llun arall o Hannah-Jane uwchben crud, yn edrych tuag at gysgod enfawr yn y drws mewn arswyd pur, ond prin y gallai ei mam weld ei hun yn hwnnw.

'Does dim amdanat ti yno,' ceisiodd Ishi Mai ddadlau. 'Yn union fel pe na baet ti wedi bodoli. Mae'r holl beth amdani hi, a'r ffordd y gadawodd o ei farc arni.'

'Ie,' dadleuodd Suzie yn ôl. 'A fi yw'r marc hwnnw.'

Yna, roedd Suzie wedi anadlu'n ddwfn a dweud wrthi wneud beth a fynnai, wnâi hi ddim sefyll yn ffordd ei chreadigrwydd. Wnaeth hi erioed hynny, meddai Ishi Mai, a dywedodd wrth ei mam y gwnâi hi'n siŵr na chyfeiriai at ei mam mewn unrhyw fodd wrth roi cyfweliadau am ei gwaith, nac yn y deunydd cyhoeddusrwydd, hyd yn oed pe bai'r rhai a'i holai'n gofyn. Penderfynodd efallai fod hynny'n syniad da beth bynnag: mi fagai fwy o gywreinrwydd ynghylch y cyfanwaith felly.

Doedd hi ddim yn disgwyl i Suzie ddod i weld yr arddangosfa, a dyma fyddai'r tro cyntaf iddi golli agoriad unrhyw un o arddangosfeydd Ishi Mai. Hoffai Ishi Mai pe bai ei mam yn dangos arwyddion o wella yn sgil marw ei thad, ond fedrai hi ddim rhoi ei llaw ar ei chalon a dweud bod yna unrhyw welliant dros y tri mis diwethaf. Doedd Suzie ddim wedi clirio'i ddillad o'r cypyrddau, na hyd yn oed wedi cadw ei byjamas: cadwai Suzie nhw yno o dan ei obennydd ar eu gwely. Ystyriai Ishi Mai hynny'n afiach, y ffaith fod ei mam yn newid y dillad gwely – oedd, roedd hi wedi gwneud yn siŵr fod hynny'n digwydd – ond yn gosod y pyjamas heb eu golchi yn ôl bob tro o dan y gobennydd ar ochr ei thad o'r gwely. Mynnai Suzie ei bod yn dal i allu ei ogleuo, ac roedd hynny'n bwysig iddi.

Roedd Gethin wedi ceisio'i chael i fynd i weld cwnselydd, a Jackson, chwarae teg, wedi awgrymu cyfaill iddo a oedd yn seiciatrydd blaenllaw yn Llundain, ond gwrthod wnaeth Suzie. Doedd Ishi Mai ddim yn hoffi ei gweld hi fel hyn, a wir, roedd hi'n bryd iddi ddangos rhyw fath o arwydd ei bod hi'n mendio. Roedd Gethin a hithau wedi llwyddo i wneud hynny, a gallai rhywun ddadlau fod colli tad yn waeth na cholli gŵr, achos yn chwe deg pump oed, rhaid bod Suzie wedi dechrau deall erbyn hyn nad oedd hi na'i gŵr yn anfeidrol.

A'r ffordd roedd hi prin wedi bod draw yn gweld ei mam wedyn. Do, aeth yno pan gwympodd ei nain o ben stôl, a thorri ei choes. Aeth i weld Hannah-Jane yn yr ysbyty ddeuddydd cyfan wedi'r ddamwain, ond aeth hi ddim yn agos at y tŷ, am a wyddai Ishi Mai, nac aros dros nos yn unman. Ymweld â'i mam am gwpwl o oriau'n unig, cyn gyrru'n ôl i Gwynedd Cottage. Wedyn, roedd amser wedi mynd heibio, a'i nain wedi'i symud i gartref yn y dre ar ôl treulio wythnosau yn yr ysbyty, ac yn drysu fwyfwy, druan fach, a Suzie'n gwneud dim mwy na ffonio'r cartref ambell waith pan gofiai, a ffonio Beth wedyn pan deimlai fel gwneud hynny. Sawl gwaith oedd Ishi Mai a Gethin wedi erfyn arni i fynd draw yno i ogledd Cymru, ac aros am rai dyddiau, ceisio ffurfio rhyw linyn o gysylltiad â Hannah-Jane, neu o leiaf aros yn ddigon hir i'r fam allu sylweddoli drwy niwl ei dryswch pwy oedd hi? Roedd Suzie wedi dechrau dadlau fod ganddi Ayaka i edrych ar ei hôl, sut allai hi dreulio amser yng ngogledd Cymru a gadael yr hen wraig ar ei phen ei hun yn Gwynedd Cottage, ac roedd Ishi Mai wedi dweud yn blwmp ac yn blaen fod Mrs Colleridge *wedi* cynnig aros gydag Ayaka. Ond y cyfan a gafodd y ddau am eu hymdrech oedd edliw pam nad aen nhw'u dau draw yno os oedden nhw'n poeni cymaint am Hannah-Jane.

Sut ar wyneb y ddaear oedd disgwyl i Ishi Mai godi pac ar ganol ei gwaith a'i hel hi am ogledd Cymru, a chwarae teg, roedd Gethin a Jackson *wedi* cynnig mynd i Gwynedd Cottage at Ayaka er mwyn i Suzie allu mynd at ei mam.

Yn dawel bach, roedd Ishi Mai yn dymuno rhyw gyfaddawd,

rhyw gymod datguddiadol i'w mam a'i nain, a dim ond drwy dreulio amser gyda'i gilydd y gallai hynny ddigwydd. Rhyw ddiweddglo bach taclus felly.

Gwasgodd Ishi Mai y teclyn yn ei llaw a addasai'r goleuo yn yr oriel. Ychydig llai o olau ar y deuddeg cyfansoddiad siarcol ar gynfas a redai'n gronolegol ar hyd un o'r waliau, nes bod y cysgodion yn fwy llwydaidd. Cerddodd draw at y drws, a throi unwaith eto i astudio'r cyfanwaith. Rhaid fyddai gadael fynd bellach. Fory, byddai ei chreadigaeth yn eiddo i'r cyhoedd lawn cymaint ag iddi hi.

Er mor hapus oedd hi gyda'r ffordd y daeth popeth at ei gilydd yn y diwedd, doedd hi erioed wedi ymgynefino â'r weithred o ryddhau ei gweledigaeth i olwg y byd. Bron na theimlai fel diosg ei dillad yn gyhoeddus a cherdded yn noeth ar hyd strydoedd Llundain. Roedd hi wedi cyd-fyw â phob un o'r eitemau, wedi gwisgo Hannah-Jane amdani ei hun, ac er gwaethaf cyfrinachau anorfod bywyd, y ffordd na allai wybod yn iawn sut un oedd Hannah-Jane yn blentyn, sut beth oedd bod yn hi, a'r ffordd na rannodd ei nain mo'r gyfrinach fwyaf un, sef pwy oedd taid Ishi Mai, teimlai'r wyres ei bod hi wedi gwneud cyfiawnder â bywyd ei nain, wedi ei hanrhydeddu hi mewn cymaint o wahanol ffyrdd.

Trodd i wynebu'r drws gan deimlo'n ddagreuol iawn. Drwy waith ei hwyres, mi fyddai anian Hannah-Jane yn parhau ymhell wedi ei dyddiau hi.

*

Camodd Ishi Mai dros bwll dŵr ar y pafin. Tynnodd ei chardigan yn dynnach amdani. Roedd naws hydrefol i'r gwynt am y tro cyntaf eleni, iddi hi ei deimlo beth bynnag. Beth oedd

Ayaka'n arfer ei ddweud pan oedd hi a Gethin yn blant bach? 'Does 'na ddim o'r fath beth â thywydd, dim ond dillad addas.' Rhaid mai gan Ayaka roedd hi'n cael ei synnwyr o bersbectif, chwarddodd Ishi Mai wrthi ei hun. A dyma hi, allan heb gôt, yn y gwynt a'r glaw.

Glaw mân, dim mwy. Cusan o law ar ei harleisiau. Dim digon i ffonio am dacsi. Byddai adre ymhen llai na hanner awr. Câi fath poeth, tamaid o salad, a gwely cynnar yn barod am yr agoriad yfory. Gallai godi'n gynnar, rhedeg tair milltir o gwmpas Finsbury Park, bwyta brecwast nobl a chael tacsi i'r oriel erbyn yr agoriad am ddau o'r gloch. Er nad oedd hi'n gwbl gyfforddus yn siarad o flaen cynulleidfa, roedd rhan ohoni'n barod iawn ar gyfer fory: roedd ganddi bwyntiau bwled yn ei meddwl o'r hyn roedd hi am ei ddweud, am ei dyled i'w nain ac i'w rhieni.

Trueni na fyddai Suzie yno. Byddai wedi bod yn hynod o falch ohoni, roedd Ishi Mai yn siŵr o hynny. Pe bai wedi cytuno i ddod, mi welai'n syth nad oedd yr arddangosfa'n troi'r sbotolau arni hi, nad oedd yn camfanteisio ar ei hanes hi mewn unrhyw fodd. Nid am y tro cyntaf, trawyd Ishi Mai gan y sylweddoliad nad ei nain oedd yr un fwyaf diddorol yn y stori, ond ei mam. Hi oedd â'r hanner hanes, nid ei nain. Suzie oedd â'i hanner ar goll. A Suzie oedd yn byw y golled honno nawr. Colled o fath arall roedd ei nain yn byw drwyddi.

Un peth rhyfedd roedd Ishi Mai wedi'i nodi pan oedd hi'n aros gyda'i nain oedd cymaint cliriach oedd atgofion yr hen wraig i'w gweld am ran gyntaf ei bywyd. Ugain mlynedd? Deugain mlynedd falla, pwy a ŵyr, cyn i'r cyfan ddechrau pylu fwy a mwy. Nid cofio'r bobol a'r digwyddiadau yn ei bywyd yn y dyddiau hynny a wnâi, ond eu byw. Yn union fel pe bai'n deffro drwy'r amser o freuddwyd, a bod honno'n dal i lynu wrthi, nes bod y ffin rhwng breuddwyd a realiti'n annelwig. Gallai gofio cymaint o fanylder am y dyddiau hynny, fel pe bai hi yno nawr. Pan ddeffrai yn y bore, a chredu, yn amlwg, mai ei mam oedd Ishi Mai, roedd Hannah-Jane yn goresgyn gormes amser rywsut. Gallai deithio dros ddegawdau, ac ail-fyw'r gorffennol fel pe bai'n digwydd iddi nawr.

Ac er mwyn i'r gorffennol ddigwydd iddi nawr, rhaid oedd dileu'r presennol, y ddoe a'r heddiw a berthynai i fyd Ishi Mai. Y blynyddoedd coll. Mynnai pawb fod clefydau'r cof yn greulon, ac *roedden* nhw'n greulon mewn sawl ffordd wrth gwrs, ond dileu'r blynyddoedd gwaethaf a wnaent yn aml iawn, a chadw'r blynyddoedd gorau, blynyddoedd ieuenctid. Nid oedd y sawl a gollai eu cof yn cofio'u bod yn hen. Y blynyddoedd canol, blynyddoedd y dysgu'n aml iawn, yr heneiddio, yr aeddfedu, yn diflannu bob un, gan adael plentyndod digwmwl.

Neu ddarlun o blentyndod digwmwl? Roedd pob cof yn twyllo. Hyd yn oed 'cof' cynnar plentyndod. Rhaid bod ofn, gofid, braw, cosb, budreddi, poen, euogrwydd, salwch, cywilydd. Y cyfnod wedi'r rhyfel oedd nefoedd i'w nain, canol y pedwar degau hyd at ganol y pum degau, pan aeth pethau o chwith iddi. Degawd yr haul. Degawd o hunangyfiawnder yn sgil y rhyfel, rhyw deimlad o fod yn well na phawb, yn fwy rhinweddol a gwydn, a Duw o'r diwedd yn gwobrwyo. Pawb gyda'i gilydd yn sbio am i mewn, a neb yn bwrw cipolwg dros eu hysgwyddau ar y gweddill, y tu allan, y bywyd amherffaith arall a oedd yn perthyn i bobol eraill lai cyfiawn.

Dyna ddegawd ei bywyd, yr un yn union ar ôl y rhyfel. Ddaeth 'na ddim byd da wedyn. Neu dyna a welai Hannah-Jane wrth edrych 'nôl beth bynnag, fel cymaint o rai eraill heddiw, a nifer fawr iawn ohonyn nhw heb erioed fyw drwy'r degawd mewn gwirionedd. Onid dyna ran o'r ysfa am Brexit?

Yn union fel pe baen nhw wedi byw drwyddi, roedden nhw'n caru'r oes cyn i bawb feiddio mynnu hawliau, cyn i bob ynfytyn ddechrau hawlio ei le yn y drefn, cyn i bob math o nonsens ddechrau cael ei ganiatáu, ac i bob jip a homo a ffeminist ddechrau meddwl eu bod nhw gystal â phawb arall, a chyn i drac sain y chwe degau a'r saith degau gymell budreddi ac annibendod a diffyg parch at…

At be? At grefydd? Rhyw lun ar grefydd, siŵr o fod. Crefydd a'r hen ffordd-uwchraddol-Seisnig-o-fyw yn gacen gymysg. Y grefydd sy'n gaeth i hualau strwythurol, sefydliadol, dienaid. Roedd Ishi Mai wedi stryffaglu gyda'r agwedd hon ar fywyd Hannah-Jane. Doedd yr hen ddynes, yn wahanol i eraill o'i hoed a'i chefndir a'i lle, ddim yn ddynes capel. Tybiai Ishi Mai fod a wnelo'i hymagwedd at grefydd gonfensiynol â thad Suzie, ond heb wybod pwy oedd hwnnw, doedd dim modd deall.

Pe bai'n onest, roedd llawer iawn am ei nain nad oedd Ishi Mai'n ei ddeall. Daliodd ei hun yn ochneidio wrth droi'r gornel i mewn i'r stryd lle roedd hi'n byw.

Falla byddai'n rhaid iddi feddwl am arddangosfa arall ymhen rhai blynyddoedd, ymhell wedi i'w nain farw, a phan fyddai rhyw lun ar y gwirionedd am ei thaid wedi'i ddatgelu. Os digwyddai hynny byth.

Yn sydyn, daeth Ishi Mai'n ymwybodol o bresenoldeb rhywrai wrth ei hochr, dau neu dri, ni fedrai fod yn siŵr, ac ni wyddai chwaith o ba gyfeiriad y daethant. Gallai eu clywed wrth ei hysgwydd, yn anadlu. Cyflymodd ei cherddediad, heb fentro edrych arnynt. Roedd yn gas ganddi'r ofnau roedd hi ei hun yn eu creu wrth gerdded wedi nos. Onid oedd yr ystadegau'n dangos mai canran fach iawn…?

'Slwtan llygaid slits!'

Pe bai'n olau dydd, a rhywun arall gyda hi, byddai wedi troi a rhoi pryd o dafod go iawn i'r llanc a'i dywedodd. Gallai glywed mai llefnyn go ifanc oedd o, yn ôl y crac a ddynodai nad oedd ei lais wedi torri'n iawn. Byddai wedi ei dweud hi'n llym wrth y diawl, ei roi yn ei le go iawn.

'Dos adra!' clywodd wedyn. Llais arall. Aeddfetach y tro hwn. Llais dyn. Cyflymodd ei cherddediad eto. Os oedd dau...

'Ia, dos adra i lle doist ti ohono fo.' Y llais arddegol eto. 'Does gen ti ddim hawl i fod 'ma.'

'Edrychwch,' trodd Ishi Mai i'w hwynebu. Dau. Ni allai'r un o'r ddau fod lawer hŷn na phedair ar ddeg neu bymtheg oed. Pe bai hi'n gallu dangos ei bod hi'n siarad Saesneg lawn cystal â nhw, neu'n gwenu gwên o ddealltwriaeth...

'Mi ges i 'ngeni yma, mi gafodd fy rhieni'u geni yma...' dechreuodd. Lle oedd yma? Lloegr? Cymru? Ewrop? Y byd?

'Ffycin tshincis.'

'Siapanead fel mae'n digwydd.' A oedd hi lawn mor euog yn tybio y byddai hynny'n well rywsut...? 'Hanner Siapanead, hanner Cymraes. Gwrandwch...'

'Na, gwranda *di*!' Nododd Ishi Mai fod ganddo datŵ mewn llythrennau Gothig annealladwy ar ochr ei wddw. Roedd hwn yn hŷn, â'i lais yn ddyfnach. A llawer iawn cryfach a thalach na hi. Trywanai ei fys yn agos, agos at ei hwyneb, nes gwneud iddi gamu'n ôl.

'Dwed di wrthi, Mikey!' porthai'r llall â'r crac yn ei lais. 'Dwed di wrthi ble i fynd!'

'Ddim dy wlad di ydi hon.'

'Caergrawnt,' sibrydodd Ishi Mai yn fyr o wynt yn ei hofn. Eich gwlad chi. Ein gwlad ni. Ti a fi, y bigot hiliol ag wyt ti.

Dechreuodd y mwyaf chwerthin. 'Ti'n meddwl bo ti'n

well na ni, wyt ti? *Caergrawnt.* Does gen ti ddim ffycin *syniad*! Meddwl bo ti'n glyfar, meddwl bo ti'n gwbod y ffycin cyfan!'

Ac os nad oedd o wedi gwylltio go iawn cynt, os mai dim ond mynd drwy gatecism ei hiliaeth yr oedd o, roedd enw ei chartref wedi cynnau coelcerth ynddo ar amrantiad. Taniai ei lygaid, wrth iddo barhau i bwyntio'i fys i'w chyfeiriad, a chamodd ymlaen, nes bod ei fys yn ei thrywanu yn ei gên, yn ei boch. Camodd hithau'n ôl, sawl cam, ond byddai'n rhaid iddi droi. A fyddai ganddi ddigon o nerth i redeg oddi wrthyn nhw?

'Mi smasia i dy ben di!'

Ac yn wir, roedd ei fys wedi troi'n ddwrn, bron heb iddi sylwi. Trodd Ishi Mai ar ei sawdl. Gallai redeg yn gyflymach na'r lwmp o gyhyr gwenwynig. A allai ennill digon o dir i gyrraedd adre? Roedd ei stryd, stryd ei chartref, i'w gweld mor hir am y tro cyntaf erioed. Gallai weld cysgod y warws fawr lle roedd ei stiwdio rai degau o lathenni i ffwrdd ar ben arall y stryd. A beth wnâi hi ar ôl cyrraedd? Rhaid oedd datgloi'r drws...

Rhedodd Ishi Mai ar hyd canol y ffordd am nad oedd dewis ganddi. Doedd dim golwg o neb o'u cwmpas, er bod y stryd wedi'i goleuo. Rhaid bod camera cylch cyfyng yn rhywle, ond beth oedd pwrpas hwnnw yn yr eiliadau pan oedd yr hyn oedd yn digwydd *yn* digwydd?

Clywai eu hanadlu a'u traed yn stampio'r llawr tu ôl iddi. Eiliadau'n unig o dir a enillodd rhagddynt cyn iddi deimlo llafn y gyllell ar ei braich.

'Gad i hynna fod yn rhybudd i ti. Dos adra!'

Roedd llosg y llafn ar ei braich wedi gwneud iddi faglu, a theimlodd ei hun yn disgyn, heb fraich na llaw i arbed ei phen rhag taro ymyl y palmant.

# 10

Aeth Suzie i lawr i Lundain ar unwaith. Roedd hi yn y car bron cyn i'r llais o'r ysbyty orffen rhoi'r neges ar ei mobeil.

Erbyn iddi gyrraedd, roedd Ishi Mai yn eistedd ar erchwyn ei gwely yn ceisio gwthio'i braich rwymog i mewn i lawes ei chardigan, a Hugo yr ochr arall iddi ar bigau'r drain yn ceisio dwyn perswâd arni i bwyllo.

Lle wyt ti'n mynd ar gymaint o frys, gofynnodd Suzie iddi. Pa frys, hyffiodd ei merch, ac egluro ei bod hi wedi bod yma ers pump awr yn barod a heb gael munud o gwsg. Roedd angen iddi fod ar ei gorau fory – neu pnawn 'ma bellach, sylweddolodd wrth nodi ar gloc yr adran achosion brys ei bod hi'n hanner awr wedi tri yn y bore.

'Ti'm am fynd i'r agoriad!' ebychodd Suzie.

Cafodd lond ceg gan Ishi Mai yn gosb am fod mor ddideimlad â chredu y gallai hi beidio â bod yn bresennol yn agoriad ei harddangosfa ei hun. Doedd gan Suzie ddim syniad faint roedd yr arddangosfa'n ei olygu i Ishi Mai, edliwiodd honno iddi, neu fyddai hi ddim yn gofyn cwestiwn mor dwp.

Bachodd Hugo ar ei gyfle i ddianc gan fod Suzie yno bellach i geisio cadw trefn ar ei merch benderfynol, ac estynnodd nodyn o'i rif ffôn iddi rhag ofn y byddai angen unrhyw beth arni. Ond roedd gan Suzie ormod o gwestiynau i'w merch i gymryd llawer o sylw. Rhoddodd Hugo sws sydyn i dalcen Ishi Mai a dweud wrthi am wrando ar ei mam.

'Be maen nhw wedi'i ddeud? Pa mor ddrwg ydi o? Beth ddigwyddodd?' holodd Suzie.

Roedd ganddi hawl i wybod, doedd bosib.

'Mi dduda i wrthot ti ar y ffordd adra,' meddai Ishi Mai, gan godi ar ei thraed, yn dal i geisio gwthio'i braich i dwll ei llawes.

'Wnei di ddim o'r fath!' gorchmynnodd Suzie. 'Dos 'nôl ar y gwely 'na. Ydyn nhw wedi dweud y cei di fynd adra?'

'Dwi ddim angen iddyn nhw ddeud wrtha i...'

'Dwi ddim yn mynd â ti i nunlle felly.'

Cafodd stribed o regfeydd am ei thrafferth, ond mi ufuddhaodd ei merch i'r graddau iddi eistedd yn ei hôl. Taranodd nad oedd gan y staff mo'r syniad lleiaf pa mor bwysig oedd mynd adre nawr, a'u bod nhw eisiau ei chadw i mewn am bedair awr ar hugain. Dechreuodd Suzie ddadlau efallai fod ganddyn nhw reswm da dros wneud hynny. Pa mor ddwfn oedd y clwyf? Faint o waed gollodd hi? Pa mor ddrwg oedd yr ergyd i'w phen? Pwy ffoniodd am yr ambiwlans?

Saith ar hugain o bwythau, atebodd Ishi Mai'n ddiamynedd. Dim digon i orfod cael trallwysiad, meddai'n ateb i'r ail gwestiwn; a fawr o gnoc, a rhyw ddynes oedd wedi gweld y cyfan o'r tu ôl i lenni ei lolfa oedd yr ateb i'r trydydd a'r pedwerydd. Holodd Suzie a oedd Ishi Mai wedi rhoi gwybodaeth i'r heddlu, a dywedodd honno ei bod hi wedi rhannu'r holl wybodaeth roedd hi'n bwriadu ei rhoi, a doedd hi ddim yn mynd i aros fan hyn iddyn nhw ddod yn eu holau fel roedden nhw wedi dweud y bydden nhw'n ei wneud 'i gael datganiad llawnach'. I be oedden nhw'n trafferthu? Chaen nhw ddim hyd i'r diawliaid. A beth bynnag, on'd oedd Llundain yn llawn o rai 'run fath â nhw?

'Mi ddwedon nhw i ti fod yn anymwybodol...' dechreuodd Suzie wedyn.

'Do, ond dwi'n iawn rŵan.'

'Am faint fuost ti'n anymwybodol?'

'Chwarter awr, hanner awr, dwi'm yn gwbod.'

Pan glywodd hi hynny, dechreuodd Suzie dynnu'r gardigan oddi ar fraich arall Ishi Mai. Doedd yna ddim ffordd yn y byd roedd ei merch yn dod oddi yno. Gallai weld yn awr fod dryswch y gnoc ar ei phen yn gwneud i Ishi Mai gredu ei bod hi'n iawn, pan oedd hi'n gwbl amlwg nad oedd hi ddim. Hanner awr! Llwyddodd i godi dillad y gwely a gorchymyn Ishi Mai i'w gwely. Roedd honno'n fwy llipa bellach, heb gryfder i wthio yn erbyn ei mam, ac yn dechrau sylweddoli drosti ei hun nad oedd hi'n teimlo'n ddigon da i adael.

'Edrych, cariad, aros am 'chydig oria a gweld sut fyddi di wedyn,' plediodd Suzie arni. 'Falla caiff Sinderela fynd i'r ddawns wedi'r cyfan.'

'Mam, dwi'n dri deg saith!' criodd Ishi Mai.

'A dwi'n dal i fod yn fam i ti,' gwenodd Suzie, a mwytho gwallt ei merch ar y gobennydd.

'Faint o amser gymerodd hi i ti ddŵad yma?' holodd Ishi Mai.

'Mi ddois yn syth pan ffonion nhw,' meddai Suzie, yn synnu braidd at y cwestiwn. 'Wrth gwrs 'mod i wedi, pam wyt ti'n gofyn?'

'Mi gymerodd ddau ddiwrnod i ti fynd i weld Nain pan ddisgynnodd hi,' meddai Ishi Mai o rywle. 'A dim ond am awr wnest ti aros wedyn.'

Lloriwyd Suzie gan y datganiad. Nid gan yr hyn a ddywedai – mi wyddai'n well na neb iddi ei chael hi'n anodd iawn teithio i ogledd Cymru pan glywodd am ddamwain Hannah-Jane – ond gan y ffaith bod Ishi Mai yn edliw hyn iddi *nawr*. Do, mi ffoniodd sawl gwaith, ond allai hi ddim wynebu teithio yno. Nid na allai hi wynebu ysbyty ar ôl i Aito farw, doedd hynny ddim yn wir. Methu wynebu ei mam oedd hi. Ei mam doredig, ddryslyd, frau, yn dal i grafangu byw, ac Aito gadarn, gryf, garedig, gydwybodol, gariadus, wiw, yn ei fedd.

Anadlodd yn ddwfn. Doedd hi ddim am gywiro ei merch. Roedd tri mis ers damwain ei mam, ers claddu Aito, a fuodd hi ddim draw yn ei gweld fwy na dwy waith. Am yr wythnosau cyntaf wedi'r ddamwain, bu iechyd Hannah-Jane yn pendilio rhwng gwella a gwaethygu, rhwng dihoeni ac ymadfer, yn donnau di-ddal o un wythnos i'r llall. A daeth adeg, wedi i'w choes wella, pan oedd yr ysbyty'n barod i'w hel i rywle arall. Câi Suzie alwad ffôn bron yn ddyddiol gan rywun neu'i gilydd o'r gwasanaethau cymdeithasol yn gwasgu arni i drefnu gofal ei mam gan na ellid mo'i rhyddhau i'w chartref mwyach: er bod ei choes yn gwella, bu'r ddamwain yn ddigon i wthio Hannah-Jane dros ochr y dibyn i gors o ddryswch ddeng gwaith gwaeth na phan oedd hi gartref yn ei chynefin cyfarwydd ei hun. Yn y diwedd, bu'n rhaid iddi adael i'r gwasanaethau cymdeithasol drefnu cartref gofal i'w mam. Mynnodd Ishi Mai eu bod nhw eu dwy'n mynd draw i weld sut oedd Hannah-Jane yn setlo yn y cartref, a bodlonodd wneud hynny yn y diwedd, ond ni allodd aros mwy nag awr. Gwyddai Suzie ei bod hi'n hen bryd iddi fynd i'w gweld hi eto, ac i roi trefn ar y tŷ gwag, er mai'r peth diwethaf roedd ganddi galon i'w wneud oedd mynd draw yno i drefnu'r hyn oedd ar ôl o fywyd ei mam. Roedd pawb yn dweud bod amser yn gwella, ond doedd tri mis ddim i'w weld fel pe bai wedi gwella'r nesaf peth i ddim ar y clwyf.

Doedd ganddi ddim lle ar ôl tu mewn i boeni am ei mam. Roedd hi wedi hen alaru am ei cholli, ymhell cyn iddi gwympo, ymhell cyn iddi golli ei chof hyd yn oed, ymhell bell yn ôl, pan adawodd hi'r dre gyntaf, pan adawodd hi ei mam a mynd i freichiau Aito. Roedd symetri'n perthyn i'r cyfan, ond nid symetri perffaith chwaith. Wnaeth Aito ddim byd i'w chadw rhag mynd adre i weld ei mam, rhag cadw mewn cysylltiad â hi. I'r gwrthwyneb: fo a gadwodd yr edefyn tenau o gysylltiad rhwng y ddwy rhag breuo'n ddim, yn rhyw fath o gyfan.

'Mi w't ti'n ferch i mi,' meddai Suzie wrth Ishi Mai. 'Ma hynny'n ei neud o'n hollol wahanol.'

'Wela i,' meddai Ishi Mai gan fwytho'r rhwymyn a orchuddiai ei phwythau'n ysgafn ofalus. 'Felly, fyddet ti ddim wir yn gallu cwyno pe bawn i'n dy drin di yr un ffordd ag wyt ti'n trin Nain.'

Aeth hynny â gwynt Suzie. 'Pam w't ti'n siarad fel hyn?'

'Dwi ddim yn gwbod,' meddai Ishi Mai, ac roedd dagrau'n dal i ddod o'i llygaid a'i llais hi'n dal i fod yn gryg. 'O achos yr arddangosfa falla. Neu achos 'mod i wedi cael cnoc ar 'y mhen.'

*

Llwyddodd Suzie i ddal rhyw gydbwysedd rhwng gofal ysbyty am ei merch ac ysfa Ishi Mai i gyrraedd adre mewn pryd i allu cael cawod a newid ei dillad cyn anelu am yr oriel. Aeth y ddwy o'r stiwdio i'r oriel mewn tacsi. Ofynnodd Ishi Mai ddim iddi, dim ond cymryd yn ganiataol y byddai Suzie'n newid ei meddwl ynglŷn â dod i'r agoriad, a gweld y gwaith a greodd ei merch am ei mam. Yn y tacsi, daliai Suzie i feddwl y gallai ymddiried Ishi Mai i ofal Hugo neu unrhyw un o'r gatrawd o bobol a oedd yn gysylltiedig â'r arddangosfa – roedden nhw wedi cael gwybod ganddi hi ar ei mobeil o'r ysbyty y byddai Ishi Mai yn bresennol er gwaethaf pob dim.

Ond wrth gyrraedd y lle, roedd hi'n amlwg nad oedd Ishi Mai yn disgwyl i'w mam droi ar ei sawdl yn y drws.

Cyflwynodd hi i'r bobol nad oedd Suzie eisoes wedi'u cyfarfod. 'Fy mam.' Oherwydd natur yr arddangosfa, dangosent fwy o chwilfrydedd ynghylch Suzie nag oedd hi'n gyfforddus ag ef. 'Felly, chi yw *mam* Ishi Mai! Y babi oedd yn ganlyniad i'r gyfrinach fawr.'

Teimlodd Suzie ei stumog yn troi. Doedd hi ddim wedi cael brecwast, a doedd hi ddim chwaith wedi bwyta pan fynnodd fod Ishi Mai yn rhoi rhywbeth yn ei stumog yn y stiwdio cyn dod i'r agoriad. Gwelodd weinydd mewn du yn cario hambwrdd o ganapes i'r gwesteion, ond ni chredai y gallai wynebu'r rheini er mor fach oedden nhw.

Edrychodd o'i chwmpas, a glaniodd ei llygaid yn gyntaf ar y lluniau siarcol. Roedd Ishi Mai wedi ei rhybuddio eisoes fod un ohonyn nhw'n ddarlun dychmygol o faban ym mreichiau Hannah-Jane yn ifanc. Fe'i gwelodd, ac ni wnaeth hwnnw hanner cymaint o argraff arni mewn gwirionedd â'r darluniau o Hannah-Jane yn hen, y lluniau ohoni go iawn. Gwyddai fod Ishi Mai wedi creu mwy nag un ohonyn nhw wrth iddi astudio wyneb ei nain yn gwylio'r teledu. Doedd yr hen wraig ddim wedi poeni cymaint am gael ei llun wedi'i dynnu mewn siarcol. Rhyfedd sut oedd y syniad o fod mewn fideo yn llawer mwy poenus iddi. Camgymeriad, gwelodd Suzie'n syth, oedd i'w mam gredu bod ffilm yn nes at y gwir di-goll na lluniau siarcol Ishi Mai.

Gwelodd fod Ishi Mai wedi camu draw at gylch o westeion hynod o drwsiadus yr olwg yn eu ffrogiau *designer* ac efo'u bagiau Louis Vuitton, a chofiodd nad oedd hi wedi newid ei dillad hi ers neithiwr. Oedd, roedd ei siaced liain yn cuddio pob math o bechodau, côt a gafodd yn anrheg pen-blwydd priodas gan Aito ddechrau'r flwyddyn, ac a gostiodd ffortiwn fach iddo. Ond ffortiwn fach iawn oedd hi o'i chymharu â'r un roedd y rhain wedi'i thalu am y creadigaethau a orchuddiai eu cyrff. Penderfynodd beidio â nesu atyn nhw.

Gallai ddianc yn awr, meddyliodd. Welai Ishi Mai ddim chwith bellach. Roedd hi yma, ynghanol ei phobol. Yn edrych yn wych hefyd, a'i ffrog ddu a ddangosai fwy nag a guddiai yn gwneud cyfiawnder â'i chorff lluniaidd, gosgeiddig. Nid oedd y rhwymyn ar ei braich yn amharu dim ar ei gwedd. Gallai ailadrodd ei hanffawd, pob eiliad o'i dioddefaint, hyd syrffed, a byddai hi, a'i harddangosfa'n gwella gyda phob manylyn o'r hanes.

'Gallen ni ailenwi'r arddangosfa yn "Pwy ydi Hannah-Jane? Pwy ydyn ni? Beth sydd wedi dod ohonon ni?" Mae 'na lawer i'w ddweud dros gysylltu â Brexit,' meddai rhyw haden swnllyd bron cyn i Ishi Mai gamu dros y trothwy.

Pwy ydi Hannah-Jane? meddyliodd Suzie. Pwy ydw i? Llyncodd wrth weld ffotograff o'i blaen, llun agos iawn o'r leino ar lawr y gegin yn nhŷ ei mam. Llyncodd eto, a synnu at yr effaith a gafodd arni. Rhaid bod Ishi Mai wedi codi'r carped a fu gan ei mam dros ben y leino ers dros hanner can mlynedd. Pan ddechreuodd y deunydd freuo, yn hytrach na'i godi, daeth Hannah-Jane â hen garped o rywle a chael un o'i chymdogion parod yn y dre i'w osod iddi am baned o de a bisged. A'r holl flynyddoedd, roedd y leino yno, dan draed ei mam wrth i honno heneiddio. Rhyfedd sut oedd Suzie wedi ei adnabod yn syth. A sut oedd ei adnabod wedi mynd i mewn i'w hysgyfaint, fel cyllell, fel pe bai ei phlentyndod yn tywallt i lawr arni fel tunnell o frics.

Sut oedd ffotograff agos o leino llawr y gegin yn gelfyddyd? meddyliodd. Pa fath o argraff bosib allai'r peth ei chael ar y rhain, nad oedden nhw'n ei gofio, nad oedden nhw erioed wedi'i weld? Oedd, roedd o'n sicr o greu argraff arni hi. Bron na theimlai'r dagrau'n pigo cefn ei llygaid wrth iddi ei gofio. Leino llawr y gegin: dim mwy na hynny. Fuodd hi erioed yn agosach ato, am y gallai gofio, na'r taldra rhwng ei llygaid a'r llawr. Cywirodd ei hun: roedd o yno cyn iddi hi gyrraedd y byd. Roedd o yno dan draed ei nain a'i thaid, er na chofiai'r un o'r ddau. Felly roedd o yno pan oedd hi'n fabi'n cropian ar hyd-ddo. Falla mai dyna oedd wedi creu'r fath argraff arni: falla'i fod yn deffro rhyw gof ynddi am adeg cyn iddi ddechrau cofio.

Patrwm geometrig, modern o'r tri degau. Llwyd a rhyw oren-frown a melyn budr, a fflec gwyn drwyddo. Ych a fi, roedd o'n hyll. Yn gwneud i Suzie feddwl am chwd. Yn atgoffa Suzie am dyfu i fyny, am y dyddiau cyn iddi ddianc.

Rhyfedd pa mor fyr yw ieuenctid mewn blynyddoedd, meddyliodd. Ond maen nhw'n teimlo mor hir ar y pryd. Ac wrth edrych 'nôl, maen nhw'n teimlo fel oes arall, oes gyfan arall.

Byddai hi wedi rhoi ei bywyd am gael Aito yno i afael yn ei llaw, byddai wedi marw'n hapus o gael hynny. Ceisiodd ddychmygu ei llaw yn ei law ef. Yn ei chynnal drwy'r darluniau ar y wal, yr eitemau'n bentyrrau. Trodd ei golwg at y cynfasau yn y canol lle roedd golau o ffilm ei mam yn curo drwodd fel calon. Aeth i mewn drwy'r bwlch rhwng dwy gynfas. Byddai hyn yn haws: roedd hi eisoes wedi gweld y ffilm, wedi cyfieithu'r geiriau pan oedd Ishi Mai wedi gwasgu arni i wneud.

Gwnaethai hynny heb lwyr amsugno'r cyfan fel cyfanwaith, meddyliodd. Pytiau unigol oedd brawddegau ei mam. Oedd, roedd hi wedi dysgu mwy am bwy oedd hi, ond doedd ganddi fawr o amynedd i wybod. Doedd prin fis ers i Aito farw pan wnaeth hynny, a doedd ei meddwl ddim yn gallu canolbwyntio'n iawn beth bynnag, a'r peth olaf roedd ganddi awydd ei wneud oedd cnoi cil ar ei hanes ei hun, pwy oedd hi a hynna i gyd. Treuliasai lawer gormod o'i phlentyndod a'i hieuenctid yn meddwl am y pethau hynny.

Druan ag Ishi Mai, meddyliodd Suzie, yn credu iddi lwyddo i adnabod ei nain. Y llun yna ohoni'n gafael mewn baban, doedd o ddim yn iawn. Breichiau am faban, yn gwarchod, gwên y fam ar ei phlentyn. Doedd o ddim yn gywir, ddim yn wir. Y cariad, y gofal, y tynerwch, ia hwnna! Y tynerwch. Doedd o ddim yno o gwbl.

Y geiriau hyn oedd yn iawn. Doedd camera ffôn heb neb yn ei ddal ddim yn twyllo. Cofnodi pur. Dim osgo, dim curiad calon tu ôl i lygad y teclyn.

Y gwadu. Ddim yn gwybod ei enw. Wrth gwrs ei bod hi. Pwy na allai wybod? Nid yng nghanol Llundain roedd hi'n byw, lle nad oedd neb yn nabod neb. Roedd pawb yn dre yn nabod ei gilydd, yn llawer rhy dda, dyna'r drwg: byw ym mhocedi'i gilydd oedden nhw. Dyna oedd Suzie'n ei gasáu fwyaf, byw yn nhrywsusau'i gilydd. A sut y gallai neb alw rhywun nad oedden nhw'n gwybod ei enw yn *useless little shit*?

A'r un hen linell honno. Yr un i atgoffa Suzie pa mor ddiolchgar ddylai hi fod i'w mam. ''Swn i 'di medru cael gwarad arna chdi.' Ni allai Suzie ddweud ei bod hi'n llinell gyfarwydd, gan mai llond llaw o weithiau'n unig y clywodd hi ei mam yn ei dweud. Ddwywaith dair yn ei thymer eithaf pan oedd hi wedi pechu'n blentyn, a ddwywaith dair yn llawer mwy diweddar, ers i'w meddwl chwynnu'r rhwymau oddi ar ei thafod, a sychu'r doseidiau bach o gwrteisi a pharch a gofal oddi ar ei llais.

Ac mi fyddai wedi gallu cael gwared arni. Doedd dim amheuaeth am hynny. Onid oedd merched yn cael erthyliadau o bob math ym mhob man ar hyd yr oesoedd? Ychydig bach o boen a gofid er mwyn arbed poen a gofid mwy. Cadw'r gyfrinach iddi fodoli o gwbl. Ond yn lle hynny, wnaeth Hannah-Jane ddim o'i herthylu, am ba reswm bynnag. Fe fwriodd ati i'w geni, ddim ond er mwyn cael dannod iddi yn nes ymlaen mai drwy ei dewis hi yn unig y cafodd fyw.

Allan o 'ma, meddyliodd Suzie, rhaid i mi gael dianc. Roedd wyneb ei mam ym mhob man ar bob ffurf wahanol, yn ei gwatwar, yn edliw iddi ei bodolaeth: 'swn i 'di medru cael gwarad arna chdi.

Daeth allan o'r tu ôl i'r cynfasau wrth i lif o bwnditiaid celf anelu i mewn at y sgrin, yn llawn o'u gallu eu hunain: *llygad at gydwead croen a chynfas... cyfaddasiad esthetaidd y traddodiadol a'r personol... dychan clyweledol... mosáig amser.*

Anadlodd yn ddwfn, fel pe bai'n ceisio cael gwared ar rywbeth ohoni. Edrychodd i weld lle roedd y fynedfa, wrth deimlo ei bod hi wedi colli ei ffordd rywsut. Roedd Ishi Mai ynghanol criw o bobol draw wrth y wal o luniau siarcol. Gwelodd Suzie ei chyfle i ddianc.

Wrth basio cilfach lle câi gosodiad ei oleuo oddi fry, clywodd lais Cymraeg, cyfarwydd iddi, yn dod o'r cyfarpar sain yn y wal: llais Idw-bach Siop Barbwr, gallai dyngu. Nesaodd at y gosodiad. Gwelodd y label, *Dre/Town*, a meddwl, ddim dyna ydi'r cyfieithiad. Mae 'dre' yn wahanol i 'town'. Mae 'dre' yn oddrychol, mae'n perthyn i'r sawl sy'n ynganu'r gair. Y modd perthynol. Ddim dre neb arall: dre *ni*.

Ac yn y gilfach, roedd Ishi Mai wedi gosod pedair rhes o hen focsys matshys England's Glory wedi'u clymu at ei gilydd â chortyn. Pedair rhes o focsys matshys, fel tref. Fel dre. Darllenodd Suzie yr esboniad Saesneg o dan y teitl ar y wal yn ymyl: dehongliad o'r hyn a olyga'r dre bellach. I bwy? meddyliodd Suzie. I Hannah-Jane? Go brin. Roedd hi'n fwy na rheseidiau o dai i honno. Rhaid bod treulio cymaint o amser yno wedi rhoi mwy i Ishi Mai hefyd na rhesi o dai bocs matshys. Neu iddi hi, i Suzie, yn ôl fel y gwelai Ishi Mai bethau, ai dyma roedd Ishi Mai yn ei ddychmygu oedd ei thref enedigol i Suzie?

Ond yr hyn a wnâi'r gosodiad yn gyfan oedd y llais drwy'r wal, llais Idw-bach Siop Barbwr. Ni allai Suzie gredu ei bod hi wedi ei adnabod, a bu'n rhaid iddi ddarllen yr esboniad i gadarnhau ei bod: llais Idw-bach Siop Barbwr, cymeriad a oedd yn byw yn y dre rhwng y 1920au a'r 1990au. Cydnabod i Hannah-Jane, er ei fod rai blynyddoedd yn hŷn na hi, a chyfaill i'r teulu. Tâp wedi'i fenthyg o'r archifdy ohono'n siarad am y dre lle bu'n byw ar hyd ei oes.

Yna, roedd Ishi Mai wedi egluro nad oedd hi wedi cyfieithu geiriau Idw gan mai defnyddio'r tâp er mwyn cyfleu naws yr oedd hi, ond bod geiriau Idw yn mynegi'r hyn roedd ei gyfoeswyr yn y dre yn ei olygu iddo, ei chymeriadau dros ddegawdau canol y ganrif ddiwethaf, a'i gariad tuag at ei dre.

Camgymeriad oedd peidio â chynnig cyfieithiad, meddyliodd Suzie, a daliodd ei hun yn oedi yno, yn methu gadael llais Idw ar ei hôl.

'Mi fysan ni'n cael steddfoda bach hefo pawb yn dŵad at 'i gilydd, pob capal a chymdeithas, i gystadlu, teuluoedd yn erbyn 'i gilydd yn dima, strydoedd a rhanna o'r dre'n cystadlu, pawb yn cymyd rhan fel galla fo.'

Lled-gofiai Suzie y rhai olaf o'r rheini. Cafodd sawl swllt am ganu, a doedd dim yn well na chael dillad newydd ar gyfer y digwyddiad blynyddol, a'r teimlad fod y dre gyfan yn un endid rywsut.

'... a fysa Bobi Grosar yn cyfrannu tomatos a chaws, a the

a siwgr, a Becws yn rhoi bara a chacenna, ac ymlaen felly drw bob siop yn dre, fel na fysa raid i neb boeni am dalu am ddim, pawb fel y galla fo, yn union fel oedd hi pan oedd rhywrai mewn profedigaeth... y dre fel un yn dŵad â phetha cadw'n fyw atyn nhw iddyn nhw allu cael 'u penna at 'i gilydd ddigon i arllwys 'u galar...'

Ddim bob amser, meddyliodd Suzie, roedd 'na ambell alar, ambell ofid, na fysa neb yn sôn amdano. Ond cofiai hefyd sut oedd pawb yn helpu, pawb yn gwneud yn siŵr nad oedd neb yn cael ei esgeuluso na'i anghofio. Cofiai ei mam yn gwneud bara, a hithau'n llowcio cymaint o frechdana banana nes gwneud iddi hi ei hun igian yn ddi-stop am oria, a'i mam am y gorau'n ceisio ei dychryn, neu wneud iddi yfed dŵr i geisio eu stopio, a dim yn tycio, nes bod raid galw drws nesa ar Menna Morris, nain Beth, i ddod i helpu. A honno'n arllwys dau lond cwpanaid o ddŵr i lawr ei chefn nes bod pawb yn sgrechian, a sgrechian chwerthin 'run pryd.

Sylweddolodd Suzie'n sydyn nad oedd Ishi Mai'n adnabod ei nain wedi'r cyfan. Doedd dim yma i gofnodi'r ffaith iddi fod yn athrawes, dim a dystiai i'w chrebwyll, ei barn am bethau'r byd, ei dyheadau, ei chwantau, ei chwaeth, ei daliadau... dim a ddynodai gymhlethdod ei gwead go iawn. Stereoteipiau oedd y pethau hyn, Beiblau, crefydd, ac oedd, roedd Ishi Mai'n cyfleu pellter ei nain oddi wrth rai o'r rheini, yn cydnabod nad oedd hi'n ddynes capel er enghraiifft. Ond stereoteipiau oedden nhw er hynny: y brethyn Cymreig, y llyfrau emynau. Ai dyna'r cyfan oedd Hannah-Jane? Rhywun i'w mesur yn erbyn stereoteipiau a goleddid gan eraill am dre, am Gymru? Ai dyna'r cyfan ydw i? meddyliodd Suzie. Yr unig wirionedd yn y stafell fawr hon oedd geiriau Idw, a doedd Ishi Mai ddim wedi gweld gwerth cyfieithu'r rheini.

A bai pwy oedd y ffaith fod Ishi Mai'n gweld ei nain a dre a'i hanner Cymreig a Chymraeg drwy sbectol stereoteipiau? Bai Suzie, wrth gwrs! Ni fedrai feio neb ond hi ei hun.

Byddai'n well ganddi farw na chyfaddef y pethau hyn wrth ei merch, wrth gwrs. Ac i Suzie, dyna fyddai gwir gyfrinach 'Hannah-Jane Jones: Secrets'.

'Rhyw linyn, wchi, yn ein cadw ni at 'yn gilydd, i neud yn siŵr fod y dre 'ma'n fwy na rhesaid o focsys.'

Roedd Suzie wedi treulio'i harddegau mor brysur yn casáu'r lle fel na sylwodd gymaint oedd gafael y dre arni, a chymaint roedd hi wedi dal ei gafael ynddi dros yr holl flynyddoedd. Teimlai fel pe bai drws wedi agor ynddi.

'A'r capel wrth gwrs, er nad oedd pawb yn twllu fanno, hyd yn oed yn y dyddia hynny. Gormod o fawredd yn perthyn i amball un, ac amball un arall wedyn yn byw yn y cysgodion.'

Gwawriodd arni y gallai Idw-bach Siop Barbwr yn hawdd fod wedi gwybod pwy oedd ei thad.

Rhy hwyr, Suzie fach, mae'r cwbl lot wedi hen farw.

'Mwy o flas ar 'u Beibla nag ar fyw. Fel arall gwelwn i betha. Toedd 'na fywyd o bob math yn dre fach ni, bob dim ar ddaear lawr a deud y gwir. Mond bod 'na rai oedd yn meddwl fod 'na fwy i'w gael mewn manna erill. Ond yma mae o drw'r amser, wyddoch chi. Ar 'u stepan ddrws nhw. Fama mae o. Y byd yn grwn yn dre, a'r dre yn fyd yn grwn.'

*Useless little shit*, meddyliodd Suzie, amdani ei hun neu am rywun. *Useless little shit.*

Wyddai hi ddim ei bod hi'n crio nes i rywun afael yn ei braich a gofyn oedd hi'n iawn.

Nadw, meddai Suzie. Dwi ddim yn iawn o gwbl.

*

Mwythodd Ayaka ei llaw, a chymryd y cwpan ganddi â'r llaw arall.

'Well rŵan, cariad?'

Nodiodd Suzie. Ni chofiai yrru'n ôl i Gwynedd Cottage. Roedd hi wedi ffarwelio ag Ishi Mai, mi wyddai hynny. Daethai honno ati, yn llawn pryder, wedi i'r ddynes a ddaethai o hyd iddi'n crio o flaen y bocsys matshys alw arni. Doedd Suzie ddim eisiau ffŷs. Sychodd ei dagrau'n ddiamynedd, a dweud wrth Ishi Mai ei bod hi'n hynod o falch ohoni, ond am beidio gweld chwith nad oedd hi am aros rhagor. Gofynnodd i Ishi Mai addo na fyddai'n yfed alcohol heno rhag gwneud rhyw ddrwg pellach i'r clwyf neu i'w phen, a gofynnodd i Hugo gadw llygad arni.

Cyrhaeddodd adre a dweud wrth Mrs Colleridge am fynd, y byddai hi yno rŵan i edrych ar ôl Ayaka, a'r eiliad y caeodd y drws, roedd hi wedi methu dal rhagor ac wedi torri i lawr yn llwyr o flaen ei mam-yng-nghyfraith. Ar ôl ei gwasgu ati yn ei breichiau a llwyddo i'w chysuro ddigon i'w thawelu rhywfaint, aethai honno i wneud paned o de camomeil iddi.

A dyma lle roedd hi nawr, yn ddarnau mân o flaen ei Ayaka annwyl, dri mis cyfan wedi i Aito fynd. A'r hen wreigan yn mwytho'i llaw, a'i gwallt, fel pe bai Suzie'n ferch fach.

'Sori, Ayaka,' meddai Suzie, yn dechrau teimlo'n wirion.

'Does dim sori,' atebodd Ayaka gan wenu arni. 'Eisiau i ti newid dy sbectol sy, dyna'r cyfan.'

'Dwi ddim yn gwisgo sbectol,' meddai Suzie, yn ddryslyd braidd.

'Mae pawb yn gweld drwy sbectola gwahanol,' meddai Ayaka wedyn. 'Galar yw dy un di. Ac mae'n bryd i ti ei newid hi, 'nghariad i.'

# 11

MAM? MAM! LLE wyt ti?

Lle ath hi? O'dd hi yma, fama, hefo fi. Mam, dwi'm yn teimlo'n dda, ma gin i boen.

Lle ma'i 'di mynd eto? Cadw diflannu, a finna prin yn gallu codi o'r gwely 'ma.

'Mrs Jones, be 'dach chi'n neud? Allwch chi ddim codi.'

'Lle ma'i? Mrs Jones, dwi 'di bod yn chwilio am Mrs Jones, 'y mam i ydi hi.'

Pam mae hon yn trio 'ngwthio i 'nôl i gwely? Lle ma Mam?

'Chi 'di Mrs Jones, Hannah-Jane. Fedrwch chi'm codi, ma'i'n ganol nos.'

Dwi'm isio crio o flaen hon, ond beryg na fedra i beidio. 'Dwisio Mam.'

'Dowch 'ŵan, dowch i gwely, a mi siarada i hefo chi am 'chydig.'

Ildio. Raid i fi ildio. Dim golwg o Mam, ond fysa hi isio i mi fyhafio.

'Yn y cartra ydach chi, Hannah-Jane. 'Dach chi'n cofio? Mi ddaethoch chi yma ar ôl bod yn y 'sbyty.'

''Sbyty?'

'Ia, mi gawsoch chi godwm a thorri'ch coes, ond 'dach chi'n well rŵan. 'Dach chi'n wariar go iawn, tydach.'

Wili-John 'y nghefndar ydi'r wariar. Dŵad adra fatha weiran gaws.

'Yn lle medda chi...?'

'Yn y cartra. Afallon. 'Dach chi 'di bod yma ers dipyn rŵan, Hannah-Jane.'

Pwy 'di hon, beth ifanc ag ydi hi, i 'ngalw i wrth 'yn enw cynta?

'Mrs Jones. Fatha Mam.' Misus, dyna ydw i, er na ches i 'rioed fodrwy.

'Wel, ia siŵr. Dwi'n cadw anghofio mai dyna 'dach chi am i ni'ch galw chi. Wedi bod yn breuddwydio ydach chi, Mrs Jones, a ma hynny bob amser yn chwara tricia hefo'ch meddwl chi.'

'Sna'm byd yn matar hefo 'meddwl i.'

'Nag oes siŵr,' mae hi'n nodio'n ddwys, cystal â deud: 'dduda i rwbath i gau'i cheg hi'.

'Lle ma Mam?'

'Ma'ch mam chi wedi marw, Mrs Jones.'

'Sut 'dach chi'n gwbod? Dwi'm yn 'ych nabod chi.'

'Dwi'n reit siŵr 'i bod hi, Mrs Jones, a mi ydach chitha'n gwbod hynny hefyd, mond 'ych bod chi'n ffwndro braidd, 'na'r oll.'

'Pawb yn ffwndro weithia. Pam na 'sa neb wedi deud wrtha fi fod Mam wedi marw?'

'Mi naethon, Mrs Jones.'

'Naddo tad! Pryd digwyddodd o? Dwi'm yn 'ych coelio chi. Mi oedd hi a Menna Morris yma jest rŵan yn chwara *rummy* wrth droed y gwely. Jest rŵan, dwi'n deutha chi. 'Dach chi'n deud bod Menna Morris drws nesa 'di marw hefyd?'

'Faint 'di'i hoed hi, Mrs Jones? 'Run oed â chi?'

'Rargol nacia! Ma Menna Morris yn hŷn na Mam! Be 'di'i hanas hi? 'Di'n dal i fyw drws nesa?'

''Swn i'm yn meddwl, Mrs Jones. Ylwch, fysach chi'n licio i mi ddod â phanad i chi? Mi fydda i'n mynd *off duty* yn munud, ond mi wna i banad i chi cyn 'mi fynd, 'lwch.'

*Off duty*? Dyna fo! Mewn gwesty ydw i. Fawr o siâp arno

fo chwaith, er na wna i ddeud wrth hon, golwg ddigon ffeind arni. Be ddudodd hi 'fyd?

Be haru fi'n hefru am Mam?

'Ma Mam wedi hen farw.'

Mae hi'n gwenu, fatha tasa hynny'n destun dathlu.

'Dyna fo, yndi, Mrs Jones. 'Dach chi'n dechra dŵad atoch chi'ch hun. A' i i neud y banad yna.'

Mam ac Idw-bach Siop Barbwr yn chwerthin 'i hochr hi am bo fi a Grace Becws a Lizzie-Ann, merch hyna Menna a William drws nesa, yn joclet o'n talcen i'n dwylo. Bobi Grosar roth delpyn yr un i ni'n tair am 'i helpu fo i glirio'r cefna. Fedran ni'm bod yn fwy na saith oed. Idw ffendiodd ni'n sglaffio'r cwbl lot dan bont y trên cyn mynd adra. Fysa 'Nhad a Mam byth yn prynu tsioclet i mi, rhy ddrud, a fawr o'r stwff ar gael yn nunlla dyddia hynny.

'Hannah, Lizzie, fedrwn ni ddim mynd â fo adra,' cwynodd Grace Becws wrth inni groesi'r lôn bost. 'Fydd Mam siŵr dduw o neud i mi rannu fo efo 'mrodyr.'

'Fytwn ni fo i gyd gynta, 'ta,' mae Lizzie-Ann yn sibrwd a'i llygid hi'n fawr, fawr fel cwpan a soser. Glas. Ia, glas 'di llygaid Lizzie-Ann drws nesa.

Oedd. Ydi. Be 'dio bwys?

Mae'r hogan yn y wisg wedi codi i fynd i neud panad i mi, a dwi'n ddiolchgar iawn iddi, ond yn methu dod o hyd i'r geiria cywir yn y das wair o ben sy gen i dyddia yma.

'Ddim hyn ydw i, wchi,' medda fi wrthi cyn iddi fynd drwy'r drws. 'Dwi'n fwy na hyn.'

Daw'n ôl ata i, a gafael yn fy llaw, a sbio reit i fy llygada i, fatha tasa hi'n gweld rhywun newydd yno: 'Ydach, Mrs Jones. Dwi'n gwbod.'

★

Dyma hi Lizzie-Ann! Wel, nacia siŵr, *mam* Lizzie-Ann ydi hi, Menna! Ma Lizzie-Ann lawar iawn yn iau.

'Sut 'dach chi, Hannah-Jane?'

Chi? Be ddiawl ma Menna Morris yn neud yn galw ffrind gora'i merch yn 'chi'? Falla mai chwara gêm mae hi. Mi chwaraea inna hefyd 'lly.

'Iawn diolch, a sut wyt *ti*?'

Ma hi'n gwenu'n llydan a deud: ''Dach chi'n fy nabod i heddiw?'

Ma hi'n dal i 'ngalw i'n 'chi'. Siŵr dduw 'mod i'n 'ych nabod chi, Misus Morris. Be sy matar arni? Raid 'i bod hi'n dechra colli'i marblis.

Chwaraeish i'n siâr o'r rheini hefo'i merch hi. Lizzie-Ann, a Grace Becws a finna. Cuddiad yng ngwaelod yr ardd rhag cael 'yn comandirio i neud rw orchwylion, yn y tamaid o ddaear oeddan ni wedi'i glirio ar gyfer chwara marblis. Ac Idw-bach yn dal 'i dafod rhag sbragio, gwenu'n ffeind arnan ni. Mi ddaeth 'na hogia ifinc o rwla unwaith a chwara hefo ni. Roeddan ni'n betha mawr bryd hynny, rhy hen i chwara marblis beth gythgam, ond toedd y gêm ddim wir yn cyfri, y siarad tynnu coes oedd y peth.

'Ti ddigon hen i smocio, Lizzie-Ann?' Brei White Lion, yn cynnig stwmp i Lizzie-Ann, a hitha'n troi'i thrwyn a gwrthod sigarét gynno fo. Wrthododd hi'm llawar o ddim byd gynno fo wedyn. Ma ganddi lond y tŷ o'i blant o, 'sa reitiach iddi fod wedi cymyd y sigarét a gadael y gweddill. A mi gath symud ati hi i fyw, fel bod rywun yno i edrach ar ôl Menna Morris ar ôl i William gael yr hartan laddodd o. Dim byd ond swnian plant rownd ril drws nesa wedyn. Sna'm ryfadd 'mod i wedi dod odd' no am wylia bach i fama.

Pwy 'di hon rŵan? Nid Menna, mae honno'n llawar rhy hen i fod yn hon.

'Lizzie-Ann wyt ti…?'

'Beth. 'I merch hi. Byw drws nesa i chi, Hannah-Jane.'

'Wel, wyt siŵr… ond sut w't ti…?' Sut ma gofyn i rywun sut maen nhw wedi mynd i edrach mor hen? Bach ydi plant Lizzie-Ann, ia ddim? Rownd 'i thraed hi.

'Mi gafodd Lizzie-Ann lot o blant.'

'Do, a ma bob un ond fi wedi symud o 'ma, cofiwch.'

'Ers pryd?' Ma cymint wedi digwydd ers i mi fod yn y lle 'ma.

'Ers blynyddoedd, Hannah-Jane. 'Blaw fi. Beth dw i, yr ianga.'

'Yr *ianga*?!'

'Ia, Hannah-Jane.'

Dow. Dyna socsan i mi. Bobol yn heneiddio o flaen 'yn llygid i. 'Cofio Brei yn cynnig smôc i chdi…'

''Y nhad, Hannah-Jane.'

'Dy dad? Wel, ia, ma siŵr. Yr ianga, ddudist ti…?'

'Ia, yr ianga. Mi oedd Mam ymhell drost 'i deugain yn 'y nghael i.'

'Oedd wir… a sut mae hi dyddia hyn?'

'Wedi'i chladdu ers blynyddoedd, Hannah-Jane.'

'Nadi! Argol fawr, a chditha'n *Carnival Queen* a bob dim!'

'Fi? Naddo 'rioed! Mam ella.'

'Adeg y Coronêshon…'

'Iesgob, naddo. Mi oedd Mam wedi priodi erbyn hynny. Fysa hi'm yn cael bod yn *Queen*.' Mae hi'n edrach arna i'n rhyfadd. 'Pa goronêshyn sy gynnoch chi dan sylw, Hannah-Jane?'

'Mond un sy 'na, siŵr dduw. Dwi'n drysu, un o genod Tŷ Capal gath fod yn *Queen* am bod hi'n debyg i'r *Queen* go iawn. Gwraig George.'

'Argol, 'dach chi 'di 'ngholli fi rŵan. Dwi'm yn gwbod dim am yr un o'r diawliaid 'blaw Carlo.'

'Dow! Oes gynnyn nhw Italians 'fyd? Yli, ddo i 'nôl adra efo ti rŵan, Lizzie-Ann. Ma'n bryd mi roi'r gora i'r *life of leisure* yn fama. Gin i betha isio'u gneud adra.'

Dwi'n dechra codi'r flanced a thynnu 'nghoesa drost erchwyn y gwely.

'Na newch, wir!' Ma hi'n gafa'l yn 'y mraich i ac yn 'y ngwthio i 'nôl i'r gwely, yn cau gada'l i fi godi. Rêl bwli fuodd hi erioed. Mynnu 'mod i'n rhannu'r da-da fysa 'nhad yn 'i roid i mi hefo hi, mond am bod Menna Morris rhy grintachlyd i roid dim iddi hi.

A ma 'na un o'r staff yn dŵad wedyn, i'w helpu *hi*, *if you please*! Fatha taswn i mewn carchar, mewn difri calon, fwy na gwesty. Fydd raid i mi riportio nhw.

'Rŵan 'ta, Hannah-Jane, 'dach chi'n aros yma am 'chydig eto, iawn? Os gnewch chi hynny, gneud fel maen nhw'n ddeud am 'chydig, ma bob tshans cewch chi ddod adra.'

'Fory?'

'Ia, fory.'

Fedra i ddeud arni 'i bod hi'n deud clwydda.

\*

'Mam...?'

Nefoedd, pwy 'di hon eto?

'Sori, to'n i'm isio'ch deffro chi, Mam.'

Mam. Felly. Dwi'n fam iddi. Mond un dwi'n fam iddi. Mond hi a fi oedd.

Mi ddaw o rŵan. Mae o ar flaen 'y nhafod i.

'Oeddach chi i weld yn cysgu mor dawal.'

Dwi ar y dŷd a'i gael o, chwilio chwilio yn y twllwch, crafangu amdano fo, yr enw, ei henw hi, fy merch i –

'Susan!'

''Dach chi'n edrach yn well na tro dwetha.'

'Dal yma, sti. Yr hen gorff 'ma heb 'i orchfygu eto. A sna'm byd yn bod ar 'y meddwl i.'

'Ma sbel ers i mi fod... sori...'

Ac mae hi'n gafael yn fy llaw i, yn mwytho'r croen ar ei chefn hi, fatha taswn i wedi cael profedigaeth.

'Ma gin ti ddigon ar dy ddulo dy hun yn... efo'r plant a bob dim. Lot o waith efo plant.'

'Ma Ishi Mai yn cofio atach chi.'

Mai. Llunia ohoni rwla, lond y stafell fyw. Rhei wedi'u neud â phensal neu lo. Siarcol, dyna fo. Dyna mae artistiaid yn iwsio. Artist ydi Mai, un bwysig. Mi eith yn bell ar ôl iddi ada'l rysgol.

'Un dda ydi Mai.'

'A Gethin wrth gwrs, mae o a'i... a'i ffrind am ddŵad i'ch gweld chi pan gân nhw gyfla. Prysur ydan nhw.'

'Cofia fi atyn nhw.' Dwn i'm pwy, ond mi dduda i o 'run fath. 'Y plant i gyd. A'r *better half*.'

Mae 'na ddychryn yn dod drost 'i gwyneb hi pan dwi'n deud hynny. A finna'n cofio, does 'na'm *better half* ganddi wrth gwrs. Chafodd hi 'rioed un. Yr hen foi capal 'na fuo'n mela hefo hi.

Ond mae'r cysgod ddoth drost 'i gwyneb hi wedi pasio rŵan. Mae hi'n gwenu, ac yn gafael yn dynnach yn fy llaw i.

'Ma'r staff yn deud bod 'ych coes chi wedi mendio'n wyrthiol.'

Ma dy fam yn mendio'n wyrthiol, medda Idw-bach Siop Barbwr. A mi nath. Doedd dim dwywaith am hynny. Mi fendiodd yn wych am flynyddoedd. Fi lladdodd hi. Yn mynnu'n ffordd 'yn hun, mynnu bwrw ati i'r pen, mynnu peidio sgubo'r babi dan y mat. Mi fuo farw o gwilydd. Blwyddyn a hannar wedyn. Fatha tasa'i chorff hi wedi deud, Iesu mawr, fedra i'm handlo'r cwilydd 'ma, dwi'n gada'l fynd. A mi ddoth y cansar yn 'i ôl, a chael y drws heb 'i gloi.

'Ydi Beti Tŷ Top yn dal i nyrsio?'

'Argol. Dwi'm yn cofio Beti. Mond Richard Tŷ Top 'i mab hi, mi oedd o 'run flwyddyn â fi'n rysgol. Dwi'n meddwl 'i bod yn saff i mi ddeud 'i bod hi wedi riteirio, Mam.'

Ac mae'r ddynes 'ma, hon, be ydi hi, Susan, yn gwenu'n llydan. Yn ddieithr rwsut. Yn gwenu, yna'n chwerthin hyd yn oed, nes bod dagra bach yn gongla'i llygid hi.

'Wyddwn i ddim 'mod i'n gymint o gomidian.'

Ac mae hi'n chwerthin mwy ar hynny. Mae hi'n rhoi'r gora iddi ymhen tipyn, a mwytho mwy ar 'yn llaw i. Mi fydd wedi mwytho 'nghroen i'n dwll os na fydd hi'n ofalus.

'Dwi am aros yn hirach tro yma,' medda hi. 'Mi a' i â chi allan am dro yn y car yn y dyddia nesa 'ma...'

'I lle?'

'Dwn i'm. Rownd y lle.'

Rownd lle? Fatha Dic Bwtsiar, efo'i feic a'i fasged â'i llond o gig. Neu rownd tafarna, fatha gŵr Beatrice Siop Ddodrefn. Atal deud ar cythral arno fo, heblaw pan fydda fo wedi yfad nes bod 'na'm coes tano fo, yn union fatha tasa'r Bod Mawr wedi penderfynu mai dim ond 'i geg o neu'i goesa fo oedd yn gweithio ar unrhyw un adeg, a byth y tair 'run pryd.

Oedd o'n hannar cefndar i Mrs Gweinidog Tomos, ond mi fysa well gan honno redeg o dre i Lundan ar 'i dulo na chyfadda hynny.

'Gweld be sy 'na. I chi gael newid bach o fama.'

'Ia, plis!'

★

'Hen byrfyrt ydi o,' medda Grace Becws yn 'y nghlust i wrth sbio ar Nedw Old Spice yn sêt fawr a'i ben moel yn 'i ddulo'n gweddïo fatha tasa 'na ddim fory. 'Sbio ar dy goesa di, ar dy frestia di, yn lle yn dy lygid di wrth siarad.'

'Duw, gad iddo fo, mae o ddigon diniwad,' medda fi wrthi. Dychymyg Grace yn rhedeg reiat. A ma'i mam hi'n rhoi pwysa arni i ddŵad o hyd i ddyn cofn iddi gael ei gada'l ar silff, felly mae hi'n sbio ar bob dyn yn y ffordd honno, fatha petha sy'n gneud secs, fel 'sa Mari Nymby-Lefn yn ddeud, bechod. Dim byd arall, mond petha sy'n gneud secs.

Diolch i dduw, dydi Mam a Dad ddim wedi dechra meddwl am 'y nyfodol i fel'na. Well gynnyn nhw i fi neud yn dda yn 'y ngwaith, trio anelu'n uchel, er mai dynes dwi. 'Falla cei di le fel *Headmistress* un o'r diwrnoda 'ma,' medda Mam, yn dal mor browd ohona i â phan gesh i'r swydd yn rysgol gynradd dre bedair blynedd yn ôl. Neud yn siŵr 'mod i'n cael clywed bob gair o ganmoliaeth yn ail law gin fama a neinia plant rysgol yn capal. 'Marian Grosar yn deud bo chdi'n gaffaeliad i'r ysgol 'na.' 'Beatrice Siop Ddodrefn yn deud mai chdi gafodd Roger bach i ddarllan. Neb arall yn medru gneud dim ag o.'

Dim sôn am ddynion o gwbl, yn wahanol i fam Grace. Agwedd Mam ydi, os digwyddith o, mi ddigwyddith o, a dduw mawr, mond pump ar hugian ydw i, ddim hannar cant.

Ac yn ddistaw bach, dwi'n ffyddiog ei bod hi'n iawn. Dwi ddim yn hyll, er mai fi'n sy'n deud. Mi fedrwn i fod wedi cael 'y ngeni fatha Mari Nymby-Lefn bechod hefo problema go iawn. A doeddwn i ddim hannar mor ddiniw ag oedd Mam yn gredu chwaith. Mi fedrwn i fod wedi bodloni ar Wil Tŷ Pella, neu Ifan Penrallt. Ond does yr un ohonyn nhw'n sbesh. Ac am rŵan, ma medru gneud rwbath ohona fi'n hun, bod yn 'rhywun' yn 'y ngwaith, yn ddigon. Go brin y byswn i'n cael dal ati i weithio gan yr un o'r ddau.

'Sbia ffor' mae o'n sbecian drwy'i fysidd arnan ni!' Sibrwd fatha corwynt.

Ma Grace yn ddiarhebol. Diolch i dduw, ma Gweinidog Tomos yn dechra'i sbil i gau'i cheg hi.

*

'Sut ydach chi, lêdis?' medda Nedw wrth i ni basio, a Grace yn gneud dim ymdrech i guddiad ei chwerthin.

'Iawn diolch, Mistar Williams.' 'Dan ni'n cerdded hannar dwsin o gamau, a finna'n cyfarth 'Stopia'i!' ar Grace.

'Hogla fatha siwar arno fo.'

'Ers pryd ma hogla Old Spice yn debyg i hogla siwar?'

'Fama 'dach chi, genod,' medda Mam. 'Isio chi ddŵad i ganu'n côr ar gyfer Steddfod. 'Dan ni am guro 'leni, dwi'n deutha chi. A ma lleisia bach digon del gynnoch chi'ch dwy.'

Cwyno, fi'n fwy na Grace. Oes raaaaid? Petha gwell i neud na Steddfod. Ond ma Mam yn Gadeirydd y Pwyllgor ac yn arwain cora'n dre 'ma, felly dwi'n gwbod bod raid. A minna'n athrawes barchus, rhaid i mi greu'r ddelwedd gywir, toes?

'Dybad...' dechreua Nedw o rywle tu ôl i ni. 'Dybad fedra i fod mor hy â gofyn am help, Mrs Jones? Help Hannah-Jane neu Grace Roberts. Isio cyngor ydw i ar llnau'r popty 'cw sy gin i...'

'Dwi'm yn mynd yn agos at 'i bopty fo!' medda Grace wrtha i o ochr 'i cheg.

A ma raid mai fi, neu Mam, sy'n deud wrth gwrs y gwna i.

# 12

'B E OEDD HWNNA?'
    Teimlodd Dafydd yn ymystwyrian ar ei ochr ef i'r gwely. 'Mmm?' Hanner cysgu.

'Sŵn o drws nesa.'

'Arglwy'…' Trodd ati, â'i lygaid duon yn gwenu. 'Ti'n obsesd efo hi. Hyd yn oed pan nad ydi hi yno ers tri mis, ti'n dal i feddwl amdani. Ddyliat ti fod yn ddiolchgar fod 'na rywun arall yn gorfod ymdopi efo hi. Gwna'n fawr o dy wylia. Fydd hi 'nôl 'ma ddigon buan, yn ffonio bob awr o'r dydd a'r nos.'

'Na fydd ddim. Mae hi mewn cartra rŵan. Nawn nhw'm gada'l iddi ddod adra. 'Di'm yn debol.'

'Ti'n meddwl? Synnwn i ddim na rown nhw drei arni. Ma'r NHS yn gwegian.'

'Blydi Brexit 'di bai am hynny.'

'Paid â dechra.'

'Dy Frexit di.'

'W't ti'm yn mynd i ddechra hyn 'radeg yma o'r nos?' Cododd ei ben i edrych ar y cloc bach digidol oedd gan Beth ar ei hochr hi i'r gwely. 'Am bedwar o'r gloch y bore?'

Anadlodd Beth yn ddwfn. Na, doedd hi ddim eisiau ffrae. Arall.

'Wyt ti'n mynd i ada'l i un groes nesh i unwaith, dros dair blynedd yn ôl, sbwylio be sy gynnon ni? 'Swn i 'di gallu deud clwydda wrtha chdi. 'Sa well gen ti hynny?'

Dwi'n amau dim, meddyliodd Beth yn drist.

Trodd Beth ei chefn ato a gadael iddo gael y gair olaf. Doedd hi ddim am ffraeo. Ddim nawr, ddim heno, bore 'ma, ar ôl neithiwr, pan oedd Brexit a phob ach arall yn bell bell o feddwl y ddau ohonyn nhw.

Llwyddai Dafydd i ddeffro a chyffroi'r hogan ifanc yn Beth. Teimlai'n ugain oed unwaith eto yn ei gwmni, allan ar eu beiciau, yn cerdded mynyddoedd, neu yma, yn y gwely. Ers iddo symud ati bythefnos ynghynt, teimlai ei bod hi'n hapusach nag y bu erioed o'r blaen. Mefl bychan iawn oedd ei wleidyddiaeth – neu ei ddiffyg gwleidyddiaeth yn agosach ati. Doedd ganddo fawr o ddiddordeb yn y newyddion, nac mewn dysgu dim am sefyllfa'r byd. Ni tharfwyd arno gan y sylw di-ben-draw i'r etholiad roedd y llwdwn Johnson newydd ei alw, tra pendiliai Beth rhwng bytheirio'n lloerig am Boris a lladd ar y Corbyn di-glem am adael i'r penfelyn gael rhwydd hynt i wneud fel a fynnai.

Wynebu'r byd a'i sterics â rhyw wên fach yn chwarae yng nghornel ei geg a wnâi Dafydd. Mor hynod o wahanol iddi hi. Rhaid bod hynny'n rhan o'r apêl. Un boenus am bethau fu Beth erioed. Y bom niwclear. Yr amgylchedd. Blydi neo-Natsïaid. Anghyfiawnderau rif y gwlith. Câi Dafydd gerydd ganddi'n gyson am ei chyhuddo o fod yn 'rhy PC', nes iddo ddysgu bellach i beidio â defnyddio'r ymadrodd. Dysgodd hefyd fod amrywiaeth yn well nag unffurfiaeth, cynhwysiant yn well na chreu waliau, ac ymfudwyr fel arfer yn ffoi rhag sefyllfaoedd a grëwyd gan y gwledydd roedden nhw'n ffoi iddyn nhw.

Oedd, roedd o'n dysgu. Ond roedd o hefyd, wrth i amser fynd yn ei flaen, yn dechrau adfer yr hyn a welai fel ei hunan-barch. Hynny yw, doedd o ddim am ildio *pob* brwydr. A'r un oedd ar ôl, y fwyaf un, yr un y bu'n rhan weithredol ohoni drwy osod ei groes yn y blwch ar y 23ain o Fehefin 2016, oedd y llinell goch na fyddai'n ei hildio. Mi wyddai Beth hyn oll, a gwyddai hefyd y gallai Dafydd fod wedi gosod ei groes yn y blwch arall lawn gyn hawsed – roedd wedi cyfaddef, fel Boris Johnson, ei fod bron iawn â gwneud hynny – ond mai ceisio ymatal rhag ildio'n gyfan gwbl ben ac ysgwyddau yr oedd o: trio dangos fod ganddo *rywbeth* ar ôl ohono'i hun heb ei roi i Beth, o'i hen fywyd cyn iddo gyfarfod â hi. A wnâi o ddim ildio hwnnw. Ddim rŵan beth bynnag.

Pam oedd hi mor benderfynol o'i newid? Doedd dim byd arall amdano y byddai wedi ei newid – ei olwg, ei ffitrwydd, ei garu. Arglwyddedig, fynnai hi ddim newid dim o hynny. A'r ffordd roedd o a Carwyn yn gyrru 'mlaen, ac Andrew hefyd. Fel teulu bach cytûn. Na, nid 'fel'. Dyna oedden nhw.

'Fydd raid iddyn nhw werthu'r tŷ yn hwyr neu'n hwyrach,' meddai Dafydd rŵan o ganol y tywyllwch. 'I dalu am y cartra.'

'Bydd, debyg.'

'Faint ti'n meddwl fydd Susan isio amdano fo?'

'Nefoedd, be wn i?' Pa sgwarnog oedd hwn yn ei hymlid eto fyth? A hynny yn oriau mân y bore, er mwyn duw! 'Pam? Tisio'i brynu fo?'

'Wel… mi wnâi le i Carwyn. Neu fedran ni fwrw drwodd. Dyblu maint hwn. Mi fydd gynnon ni arian y tŷ yn Wrecsam heb fod yn hir efo tamaid bach o lwc.'

Cododd Beth ar ei heistedd a gwasgu'r switsh i gynnau'r lamp wrth ei gwely. Âi hi ddim yn ôl i gysgu rŵan a hwn yn cynllunio'i ystad.

Cododd ei llaw a phwyntio at ei bawd. 'Un. Wyt ti wir yn meddwl bysa Carwyn isio byw drws nesa i'w fam? Tydi Carwyn ddim isio dod yn ôl i *dre* i fyw, heb sôn am drws nesa!'

'Ydi mae o.' Cododd Dafydd yntau, nes bod eu hysgwyddau'n

cyffwrdd. 'Ofn sy arno fo, 'na cwbl. Drost Andrew. Ma Andrew isio dŵad. A ma Carwyn isio, ond bod gynno fo ofn.'

'Siarad cwrw ydi'r cyfan, Dafydd. Fysa Andrew ddim yn medru godda byw yn dre 'ma. Hogyn y Cymoedd ydi o. Tydi o'm yn siarad fatha ni.'

'Ti'n clywad dy hun?!' Roedd o wedi troi ati. 'Dyna'r math o agwedd sy wedi cadw Carwyn yng Nghaerdydd cyhyd. Fysa Andrew ddim chwinciad yn setlo 'ma. Lawar lawar haws nag wyt ti a Carwyn yn gredu.'

'Fedri di'm beio Carwyn am boeni.' A hithau'n poeni am ei fod o'n poeni.

Meddwl amdani hi oedd Dafydd, mi wyddai Beth. Gwyddai Dafydd yn dda gymaint oedd ei hiraeth am gael Carwyn yn agosach. Ond roedd o mor simplistig, yn meddwl dim am yr holl elfennau eraill yn yr hafaliad. Gwaith. Gwaith Andrew. Iawn, roedd o'n llygad ei le fod Carwyn yn poeni gormod am Andrew'n dod i fyw i dre, ond roedd pethau'n llawer mwy cymhleth na hynny. Doedd Carwyn ddim yn gwybod pa mor hapus oedd o *ei hun* ynghylch y syniad o ddod yn ôl. Rhyw garu'r dre o bell oedd o, a gallai Beth ddeall hynny'n iawn.

A pha wiriondeb oedd sôn am dorri drwodd! Roedd ei thŷ ei hun yn llawn digon o faint i Beth; anfoesoldeb o'r mwyaf oedd meddu ar ddau dŷ, a chymaint o bobol heb yr un.

Gwnaeth hynny i Beth feddwl unwaith eto am Chloe. Doedd hi ddim wedi siarad â hi ers mis Mehefin: aethai Beth ar y bws at y deintydd rywdro ym mis Awst, ac ar ei ffordd adra o Fangor, gwelodd gip o Chloe yn cerdded i ganol y dre i gyfeiriad yr orsaf. Ac ar adeg arall, tybiodd iddi ei gweld yn eistedd o dan y cloc â'i thraed mewn sach gysgu fel yr arferai eistedd o flaen Asda, ond erbyn i Beth groesi'r lôn ac anelu ar hyd y stryd tuag ati, roedd hi wedi diflannu. Rhaid i Beth fod yn edrych ar ei thraed er mwyn osgoi sathru ar faw ci neu ddarnau o bafin anwastad yn bochio allan i geisio'i baglu, achos pan gododd ei phen, doedd dim golwg o Chloe. A'i gwynt yn ei dwrn, rhedodd Beth at gorneli'r holl strydoedd cyfagos i chwilio amdani, ond heb lwc. Rhaid ei bod hi wedi mynd i mewn i dafarn, neu siop, neu dŷ, neu rywle. Rhoddodd Beth y gorau i chwilio. Doedd ei llygaid ddim cystal ag y buon nhw: llyncodd ei balchder a chyfaddef wrthi ei hun y gallai fod wedi camgymryd.

Gobeithiai Beth mai adra yr aeth hi, a'r llystad, neu bwy bynnag oedd o, wedi hen adael, a'i mam wedi callio.

Prin fod pobol yn newid i'r fath raddau, meddyliodd wedyn. Prin fod pobol yn newid eu cymeriadau'n llwyr, ac yn tyfu calon dros nos.

Rywdro ar ddechrau mis Medi, a hithau wedi bod yn tresio bwrw ers deuddydd, roedd Beth wedi gyrru i lawr i Asda a dwy flanced fawr mewn dau fag hesian ganddi yn y cefn i weld a welai hi gip o Chloe. Doedd hi ddim yn disgwyl ei gweld yn Asda gan nad oedd wedi'i gweld hi yno ers cymaint o amser, ond tybiai y byddai gan rywun yno ryw syniad beth oedd hanes y ferch.

'Pwy?' holodd y rheolwraig yn Saesneg pan fynnodd Beth gael gair â hi. 'Chloe ddudoch chi? Sgin i ddim cof am unrhyw Chloe yn y lle 'ma.'

'Na, tu allan,' eglurodd Beth. 'Cysgu tu allan oedd hi. Rhaid eich bod chi'n 'i chofio hi. Yn fanna. Yn y drws. Mi fuodd hi yma am wythnosau yn y gwanwyn.'

'Begian 'dach chi'n feddwl?' meddai'r rheolwraig, yn bwysig yn ei siwt las tywyll i'w gwneud hi'n wahanol i'r iwnifforms gwyrdd cyffredin.

'Wel, ia,' meddai Beth. 'Roedd hi'n ddigartre.'

'Sgynnon ni'm begars yn fama,' meddai'r rheolwraig, wedi darganfod ei Chymraeg yn sydyn fel pe na bai'n fodlon ymdrin â phwnc mor annifyr â digartrefedd yn Saesneg. Crychodd ei thrwyn cyfalafol a sniffian.

'Ddim rŵan ella,' daliodd Beth ati. 'Ond raid gin i'ch bod chi'n 'i chofio hi, licio'r ffaith ei bod hi yma neu beidio. Hogan ifanc, gwallt tywyll byr, fatha picsi.'

'Fuo 'na 'rioed gynnon ni fegars,' meddai'r ddynes yn ddiamynedd. 'Sgin i'm syniad am bwy 'dach chi'n sôn. Ma croeso i chi fynd drw'r drefn gwyno os oes gynnoch chi gŵyn…'

Yr heddlu, meddyliodd Beth gan anelu allan o Asda tra oedd y rheolwraig yn amlinellu cam cyntaf y drefn gwyno. Âi heibio i swyddfa'r heddlu i ofyn. Siŵr bod ganddyn nhw gofnod.

'Dim syniad,' meddai'r heddwas hanner ei hoed hi yno, cyn rhoi min ar ei lais ac ychwanegu, 'toes gynnon ni ddigon i neud heb fynd i boeni be 'di hynt pob down and owt yn lle 'ma.'

Yr un peth wedyn pan aeth i holi'r awdurdodau yn adeilad y Cyngor, a'r elusen i'r digartref.

'Ma gin i gof o ryw hogan,' meddai'r gweithiwr ar ddyletswydd yn fanno. 'Ond tydi hi ddim ar ein rhestra ni, ac os nad ydi hi ar y stryd rŵan, diolchwch fod 'na un yn llai. Fedrwch chi mond gobeithio'i bod hi 'nôl adra hefo'i theulu, lle sy ora iddi.'

Ac wrth syllu ar y glaw'n poeri ar ffenest y swyddfa, ni allai Beth ond cytuno. Rhoddodd y bagiau a'u cynnwys i weithiwr yr elusen i'w rhoi i'r ddau neu dri o ddynion ifanc a oedd wedi dechrau bwrw gwraidd ar strydoedd y dre. Smotiau duon, staeniau hawdd eu rhwbio allan o gydwybod cymdeithas.

Mae'r dre wedi anghofio amdani, meddai Beth wrthi ei hun wrth yrru tuag adre.

'Dos 'nôl i gysgu,' sibrydodd Beth wrth Dafydd ymhen munud neu ddwy o feddwl am Chloe.

Cafodd ei hateb gan sŵn chwyrnu ysgafn o'r ochr arall i'r gwely.

*

Trodd Beth yr allwedd yn y clo. Teimlai'n euog na fu yno ers pythefnos gyfan, a hithau wedi addo i'r hen wraig pan aeth i'r ysbyty gyntaf y byddai'n cadw llygad ar y tŷ. Nid y byddai Hannah-Jane yn cofio'n iawn pwy oedd hi bellach, heb sôn am gofio'i haddewid iddi.

Agorodd y drws yn sydyn, a sgrechiodd wrth ddod wyneb yn wyneb â phresenoldeb.

'Blydi hel!' meddai Susan. 'I be sy isio sgrechian?'

Ymddiheurodd Beth yn llaes. Doedd hi ddim wedi disgwyl ei gweld. Tro Susan oedd ymddiheuro wedyn, am regi, am beidio â'i rhybuddio hi. Toedd 'na'm isio, siŵr, meddai Beth. Wel oedd, dadleuodd Susan. Y ddwy yn lletchwith gwrtais wrth ei gilydd yn eu holau.

'Rhyfadd ydi byw drws nesa i dŷ gwag,' meddai Beth ar ôl eistedd, a rhoi'r gorau i'r gorneisrwydd. 'Dwi'n cadw clywed syna.'

'Yma bydda i am wythnos,' meddai Susan. 'Well i ti ddechra arfer â sŵn.'

''Dach chi'n aros am wythnos?' Methodd Beth guddio'i syndod.

'Mae'n hen bryd i mi wynebu petha.'

''Dach chi wedi bod drwyddi,' meddai Beth, yn falch o weld

Susan yno. Cysylltiad ffôn a fu rhyngddyn nhw gan fwyaf, ond hyd yn oed dros y ffôn, teimlai Beth nad oedd Susan yn gwrando go iawn, ei bod hi'n siarad â'r wal i bob pwrpas wrth siarad â hi.

'Plis gawn ni beidio bod yn "chi" i'n gilydd?' gofynnodd Susan. 'Dwi'n gwbod 'mod i lawar yn hŷn na ti, ond ddim mor hen â hynna chwaith,' ychwanegodd.

Gwenodd Beth. Dyma'r tro cyntaf iddi deimlo unrhyw gynhesrwydd gan Susan. Dianc fyddai hi bob gafael. Taro i weld ei mam a mynd. A llai na tharo yn y misoedd diwethaf hyn ers iddi golli ei gŵr. Gallai Beth gydymdeimlo. Gallai ddychmygu pa mor wag fyddai bywyd heb Dafydd, a doedd hi ddim hyd yn oed yn ei nabod o yr amser yma llynedd.

'Clywad syna fyddai Mam,' meddai Susan. 'Yn y nos. Mi fyddai hi'n ffonio am bedwar o'r gloch y bore cyn iddi fynd i'r ysbyty.'

'Bysa,' gwenodd Beth. 'Deud bod rw Mari wedi dwyn ei lectric hi, a rw Idw...'

'Idw-bach Siop Barbwr.'

'Oeddat ti'n 'i nabod o?'

'Rw gymaint,' meddai Susan. 'Byw yn ben Lôn Rafon. Fuodd o farw ar ddechra'r nawdega. Falla bo chdi'n 'i gofio fo. Idwal Price.'

'Argol, dyna pwy oedd o? Dwi 'di clywed dy fam yn sôn am Idw-bach Siop Barbwr ganwaith, ond to'n i'm yn sylweddoli mai'r un un oedd o ag Idwal Price. Ychydig yn hŷn na hi.'

'Ia. Hen foi iawn.'

Mi aeth Susan yn dawel wedyn. Meddwl am bobol yr hen amser, debyg. Cododd Beth i fynd i wneud paned iddi, cyn cofio nad oedd hawl ganddi i wneud hynny go iawn.

'Sori, meddwl cynnig panad, ond falla na ddyliwn i.'

'Ia, gna un. Fedra i neud hefo sgwrs. Ma 'na fagia te yna, a mi gesh i lefrith heddiw.'

Aeth Beth i'r gegin. 'Dwi'n teimlo 'mod i'n nabod hen bobol y dre 'ma stalwm i gyd drwy dy fam,' galwodd drwodd i'r stafell fyw. 'Er bod rhan fwya ohonyn nhw cyn fy amser i. Ma'i wedi cadw'r dre fel oedd hi'n fyw rywsut.'

'Ydi,' meddai Susan, ond doedd hi ddim i'w chlywed yn siŵr iawn. Rhaid ei bod hi'n ymwybodol iawn mai gadael wnaeth hi, ystyriodd Beth. A'n bod ni'n wahanol o achos hynny. Gobeithio'i bod hi ddim yn teimlo'i bod hi'n well am fod wedi gadael, meddyliodd wedyn.

Tolltodd y llefrith am ben y cydau te yn y ddau gwpan, ac aros i'r tegell ferwi.

Daeth Susan i'r gegin ati. 'To'n i'm isio aros yn dre,' meddai. 'Fedrwn i'm dianc yn ddigon cyflym.'

Gwenodd Beth yn wannaidd. 'Dyna wnaeth Carwyn hefyd.'

'Ma'n normal,' meddai Susan. 'Yr awydd i weld y byd. Ond y munud nesa, cyn i ti feddwl yn iawn am ddod yn dy ôl, mae rhan ora dy oes di 'di pasio. Nid 'mod i am ddŵad yn fy ôl o gwbl. Mi droish i 'nghefn ar dre, a doedd gin i'm affliw o ots be fyddai ei thynged hi na neb ynddi.'

Gostyngodd ei golwg tua'r llawr. Tua'r carped tywyll, budr ar lawr y gegin. Dilynodd Beth ei hedrychiad. Am beth gwirion i'w wneud, rhoi carped ar lawr cegin, meddyliodd. Rhaid ei fod o'n llawn baw.

'Sori. Dwi'n bod yn rhy onest,' meddai Susan gan godi ei phen i edrych ar Beth, a gwên fach ymddiheurgar ar ei gwefusau.

'Sna'm fath beth â rhy onest,' meddai Beth.

Mi fysa Dafydd yn dweud yn onest nad oedd o'n gweld

drwg mewn Brexit yn ei hanfod pan roddodd o'r groes yn y blwch, a'i bod hi'n iawn i bawb roi trei ar rwbath newydd, be 'di'r ffŷs?

'Falla dyliwn i egluro,' meddai Susan. Ond oedodd wedyn, yn amlwg yn ei chael hi'n anodd dweud. 'Ddwedodd hi rioed wrtha i pwy oedd 'y nhad.'

'Fedra i ddychmygu nad oedd hynny'n hawdd,' meddai Beth. Cliciodd y tegell a diffodd ar ei ben ei hun. Arllwysodd y dŵr berwedig i'r ddau gwpan ac estynnodd un i Susan. Dilynodd hi i mewn i'r stafell fyw.

'Dwn i'm chwaith,' meddai Susan wedyn. 'Cwarfod Aito nesh i, a mi gath pob dim arall 'i anghofio, deu' gwir. Mi oedd hi'n haws troi cefn rwsut.'

'Wyt ti'n chwilfrydig?' holodd Beth, yn chwilfrydig ei hun: doedd hi erioed wedi torri mwy na llond llaw o eiriau efo Susan wyneb yn wyneb ar unrhyw achlysur cyn hyn, ac roedd dod i nabod y ddynes yn ei llenwi â diddordeb. Roedd hi wir eisiau gwybod beth oedd pen draw'r stori hon. Ers rhai misoedd, roedd hi wedi meddwl mai marw Hannah-Jane, neu ei symud i gartref, fyddai ei phen draw, ond dyma bennod arall. Dyma genhedlaeth arall, nad oedd hi prin yn gwybod dim amdani. A hithau bron bymtheg mlynedd yn hŷn na hi, roedd Susan wedi gadael cyn iddi ei nabod.

Ac Ishi Mai wedyn, roedd hi wedi dod i nabod honno hefyd, onid oedd, cenhedlaeth arall wedyn, a hithau wedi treulio'r blynyddoedd heb gofio am eu bodolaeth, bron iawn.

Dim ond Hannah-Jane ar ei phen ei hun. Drws nesa iddi hi, Beth, ar ei phen ei hun. Yn y Dyddiau Cyn Dafydd.

'Chwilfrydig?' holodd Susan, ac ofnodd Beth ei bod hi wedi mynd yn rhy bell. Cadw dy hen drwyn mawr i ti dy hun, Beth, ceryddodd ei hun yn ei phen, yn union fel roedd hi'n arfer ei wneud i Hannah-Jane. 'Ydw. Er... mi ydw i'n gwbod rwfaint mwy ers i Ishi Mai fod yma.'

'Un dalentog ydi Ishi Mai,' meddai Beth. Ofnai ei bod hi'n swnio'n anniffuant, yn ddynes fach dwp, ddi-glem. 'Y lluniau siarcol yna, mi oeddan nhw'n cyfleu cymaint o gymeriad dy fam.'

'Mi nath Mam ddeud rwfaint wrthi. Nad oedd perthynas rhyngddi a 'nhad. Perthynas go iawn felly.'

Ceisiodd Beth beidio â chrychu ei haeliau, ond doedd ganddi ddim syniad beth roedd Susan yn ceisio ei ddweud wrthi.

'Dwn i'm yn iawn,' aeth Susan yn ei blaen. 'Dwi jest yn gwbod bod Mam yn 'i gasáu o. A'i bod hi 'di difaru'i henaid na chafodd hi wared arna i.'

'Arglwydd,' meddai Beth, wedi'i synnu gan onestrwydd Susan. ''Dach chi'n siŵr? Wyt ti'n siŵr?' cywirodd ei hun. Cofiai Hannah-Jane yn dweud hyn ar ôl galwad ffôn gan Susan, ond wnaeth hi erioed feddwl y byddai'n ei ddweud wrth ei merch chwaith. 'Drysu oedd hi, drysu *mae* hi. Y clefyd yn siarad.'

'Dwi 'di'i deimlo fo erioed,' meddai Susan. 'Doedd hi'm isio fi. A be dwi isio'i ddallt ydi, pam *na* chafodd hi warad arna i?'

*

'Am gwestiwn ofnadwy i ofyn amdana chdi dy hun, ti'm yn meddwl?'

'Ia, debyg,' meddai Dafydd, wedi cael llond ei wala. 'Reit, gawn ni bwdin? Dwi isio siarad am *crème brûlée* a chacen gaws a phroffiterols plis. Am un eiliad fach. Jest un eiliad fach heb Hannah-Jane drws nesa na Susan 'i merch.'

Eisteddai'r ddau wrth y bwrdd ger y ffenest yn edrych allan

dros yr afon. Gwenai'r haul yn annaturiol o gynnes arnyn nhw ac ystyried ei bod hi bron yn fis Tachwedd. Fo oedd wedi mynnu. I gau ei cheg, debyg, meddyliodd Beth, ar ôl iddi fod yn siarad am Susan drwy ddoe, neithiwr a bore 'ma. Addunedodd i gau ei cheg am ei chymdoges a'i merch a phwy bynnag arall o'i thylwyth. Doedd dim byd arall i'w ddweud beth bynnag: roedd hi wedi edrych ar berthynas y fam a'r ferch o bob un cyfeiriad posib a thu chwith allan yn barod.

'Sori. Ia. *Crème brûlée.*'

'Proffiterols ti'n arfar gael! A finna *crème brûlée*! Bob gafa'l!' Rhythodd Dafydd arni fel llo.

Be ddiawl oedd wahaniaeth? meddyliodd Beth. 'Ffansïo newid dwi,' meddai.

'Gas gin ti newid,' meddai yntau.

'Nag oes, tad! Dwi 'di dy gymyd di mewn, newid fy rwtîn ddyddiol ym mhob un ffordd bosib, ac w't ti'n 'y nghyhuddo i o fethu newid!' Roedd ei gyhuddiad yn gwbl annheg ac yn ei brifo i'r byw.

'Gas gin ti newid, medda fi, ddim bo chdi'n methu newid.'

'Be wa'niaeth?' Argol, roedden nhw'n gallu ffraeo am y pethau dwla weithiau. 'Proffiterols, 'ta, os oes raid!' Doedd ganddi ddim affliw o stumog at bwdin bellach beth bynnag.

'Sna'm *raid*! Dwi'm yn fforsio chdi.' Roedd o'n pwdu rŵan. 'Deud nesh i...'

'Blydi hel, proffiterols!' poerodd Beth ato, yn uwch nag a fwriadodd. Trodd pennau yn y bwyty, ac mi nododd Dafydd y ffaith.

'Oes raid i ti neud ffŷs?'

'*Fi'n* neud ffŷs!' hisiodd Beth arno drwy ei dannedd ac edrychodd o'i chwmpas am ei bag. 'Falla 'sa well i ni fynd heb y pwdin.'

'Na fysa ddim!' meddai Dafydd ac edrych o'i gwmpas am weinydd. Iesu, roedd o'n gallu bod yn deirant weithiau.

Ymddangosodd gweinydd, ac archebwyd y pwdinau, a Dafydd yn wên deg, fel pe na bai gair croes wedi bod rhyngddo a'r un a rannai ei fwrdd. Rhoddodd Dafydd bapur pum punt yn llaw'r gweinydd.

'Be gythral wyt ti'n neud?' rhythodd Beth arno. 'Ar ôl gorffan 'dan ni'n rhoid tip.'

'Ia, ia, mi geith dip bryd hynny hefyd,' medda fo'n ddiamynedd.

'Be ffwc oedd hwnna, 'ta? Tip ar y tip?'

'Jest gad o, Beth,' meddai Dafydd, a chodi. 'Dwi'n mynd i'r tŷ bach cyn daw o.'

Anadlodd Beth yn ddwfn. Maen nhw'n dweud bod ffraeo'n arwydd o berthynas iach, ceisiodd argyhoeddi ei hun. Damia las, rhaid bod eu perthynas nhw'n ddigon iach i redeg marathon a dringo Efyrest. Doedd hi ddim yn hoffi ffraeo efo Dafydd, ond roedd hi mor hawdd gwneud. Arni hi roedd llawer o'r bai. Mwy na hanner falla, cyfaddefodd wrthi ei hun, er y gwyddai na fyddai byth yn gallu cyfaddef y fath beth wrth Dafydd.

Daeth Dafydd yn ei ôl yn wên o glust i glust, a gafael yn ei llaw wedi iddo eistedd. Felly bydden nhw: yn dadlau fel pethau ynfyd, a'r eiliad nesaf yn cofio dim iddyn nhw fod yn gwneud hynny, a chofio llai fyth am be fuon nhw'n dadlau.

'Chdi sy'n iawn,' meddai rŵan, ac edrych i'w llygaid.

'Am be?'

'Am bob dim,' meddai Dafydd.

'Ti'n cymyd y pis?' holodd hithau.

'Nadw. Deud ydw i. Chdi *sy'n* iawn, am betha.'

'Am Brexit?' gofynnodd Beth.

'Ia, siŵr. Brexit hefyd.'

'Dwi'n gwbod,' meddai Beth, gan geisio peidio dangos ei syndod. 'Ond…'

'Ond be? Jest derbyn be dwi'n ddeud. Mi w't ti'n gneud i fi feddwl am betha na fyswn i byth yn 'u styriad cyn i mi dy gwarfod di. A mi w't ti, yn amlach na pheidio, pan a' i i feddwl am be w't ti'n ddeud, yn llygad dy le.'

'"Yn amlach na pheidio…?"' mentrodd Beth.

'Bob gafa'l, 'ta,' ildiodd Dafydd. 'Yn fwy na heb.'

Cnodd Beth ei thafod heb dynnu ei llygaid oddi ar ei wyneb. Doedd o'n bradychu dim byd. 'Tric ydi hyn?'

'Nacia! Trio deud 'mod i'n ddiolchgar ydw i.'

''Mod i yma i dy oleuo di am betha…'

'Ia.' Gallai weld ei fod o'n brwydro bellach efo ildio'i enaid yn llwyr iddi ar blât. Ond daliai ati i ymdrechu.

'Ni *sy'n* gwbod. Menywod, 'lly.' Fedrai hi ddim atal ei hun. 'Bob gafa'l, ddim "yn fwy na heb", ond bob gafa'l.'

'Ia,' ailadroddodd Dafydd, yn amlwg yn dechrau difaru dangos awgrym o wendid drwy agor ei galon iddi.

Daeth y gweinydd â'u pwdin at y bwrdd, a gafaelodd Dafydd yn ei fowlennaid o *grème brûlée* yn ddiolchgar. Gosododd y gweinydd y ddysglaid proffiterols o'i blaen hi.

'Bon appétit,' meddai wrthi, a bu bron i Beth gael ffit biws yn clywed gweinydd yn dre yn siarad Ffrangeg. Prin y gallent siarad Saesneg yn y rhan fwyaf o lefydd: iawn, boi? Lawr hatsh, ia?

Chwarddodd wrthi ei hun wrth feddwl am hynny, ac wrth feddwl am Dafydd.

'Be sy?' holodd Dafydd.

'Dim byd,' meddai Beth, a tharo'i llwy yn y belen gyntaf ar ben y pyramid o belenni siocled a hufen. Daeth yn ymwybodol fod Dafydd yn ei gwylio fel barcud.

Gwawriodd y gwir arni.

Eisteddodd yn ôl wrth ddeall ei gêm, ac ebychu'n ddwfn, wrth i'r sylweddoliad dyfu drwyddi'n ias o gynhesrwydd na fentrai mo'i ddangos. 'Ti heb!'

'Heb be?' Ei wyneb yn bictiwr o ddiniweidrwydd ymdrechgar.

Rhoddodd Beth ei llwy i lawr, a bwrw iddi â'i bysedd i dorri'r proffiterol ar dop y pyramid yn ddarnau. Typical Dafydd: calon i gyd a dim brên o fath yn y byd.

'Mi fedrat ti'n lladd i, be 'swn i'n tagu... O!'

Ni allodd guddio'r arlliw bach o siom yn ei llais. Doedd 'na'm golwg o ddim heblaw hufen a siocled fel oedd i fod yn y proffiterol. Edrychodd ar ei dwylo hufennog a siocledaidd gan deimlo'n fwy o ffŵl nag a deimlodd erioed. Sychodd ei dwylo yn ei napcyn.

Yn y trydydd proffiterol roedd y fodrwy.

# GAEAF

*D*YDYN NHW DDIM *allan ar y stryd yn trafod, mae'n rhy oer. Does neb yn dadlau, maen nhw'n gaeth i'w bocsys, yn gwylio bocsys a gwrando ar focsys. Rheitiach na rhynnu ar balmant yn rhoi'r byd yn ei le.*

*Ond mae hi yno, yn crwydro'r dre. Mae'n sbecian drwy ffenestri, lle mae goleuadau bach rhad yn wincio bob lliw ar goed, a theuluoedd yn swatio. Mae'n sbecian arnyn nhw, yn gylchoedd ynddyn nhw'u hunain rŵan, heb fentro i gylchoedd eraill. Does dim o'r eira a wêl yn harddu'r cardiau sy eisoes wedi dechrau hel ar sìl ffenestri, ond cysur gwan yw hynny: mae'n oer, a'r diflastod yn waeth na rhew.*

*Llwyd go iawn yw'r dre bellach, a chilfachau heb weld haul o ddydd i ddydd. Weithiau daw barrug, ond does dim haul i'w euro. Mae'r awyr yn pwyso'n drwm ar bawb a fentra iddo nes mynd â'u gwynt. Does dim cweit cymaint o ddisgleirdeb i olau'r coed yn y ffenestri chwaith: mae sychiad yn brin o'r lliwgar llachar arferol, er gwaethaf ymdrechion mamau.*

*Llithra'n dawel heibio i'r siopau pônio, y siopau prynu aur, y siopau elusen, a'r siopau gweigion. Ymwêl â'r maes, ond mae'r gwynt sy'n chwipio yn y gofod fel dawnswraig yn dangos ei hun yn ormod iddi, a llecha mewn cilfach lle mae'r gwynt wedi casglu sbwriel at ei gilydd gan wneud ffafr â lorïau'r Cyngor.*

*Yma, gwêl o dan garthen lwyd y dre fod eraill yno yn gwahodd yr haul i'w tai drwy ddefodau bach gwahanol, a thrwy fwydydd a blasau o ben draw'r byd, ac arferion a straeon, a chaneuon ac ieithoedd dieithr cyfoethog, yn synau newydd i'w chlust. Gwrendy arnyn nhw, a theimlo'r haf yn treiddio drwyddi wrth iddi edrych ar y dre drwy ffenestri newydd.*

*Mae cymaint mwy na welwn ni byth, dywed wrthi ei hun.*

*Ond wedyn, gwêl fan wen yn nesu, a dynion yn dod ohoni, a mynd i mewn i dŷ, i dai, a chario cesys allan, eiddo, manion bywyd, a daw'r bobol sy'n siarad iaith wahanol ac weithiau'n edrych yn*

*wahanol allan ar eu holau. Try pob un i edrych o'u cwmpas cyn
mynd i mewn i'r faniau a'r ceir, bwrw golwg dros y dre, a ffarwelio â
hi yn eu hieithoedd eu hunain.*

*Ac i ffwrdd â nhw yn y faniau, yn y ceir, a mynd â'u hieithoedd
a'u straeon, eu harferion a'u defodau, eu bwydydd a'u dillad a'u holl
liwiau hardd i gyd efo nhw.*

*Mae'n eu gweld yn gadael. Ac mae'n teimlo'r dre'n llwydach nag
erioed o'i chwmpas.*

# 13

TYNNODD ISHI MAI ei chardigan yn dynnach amdani. Lle oer oedd dre. Neu lle oer oedd tŷ Nain o leiaf. Rhyfedd sut y teimlai'r oerfel fwy o lawer y dyddiau hyn. Arferai fynd allan heb lewys ym mhob tywydd, a phrin y teimlai'r tywydd ar ei chroen. Haul, gwynt, glaw, yr un peth oedd y cyfan i Ishi Mai yn arfer bod. Y dyddiau hyn, roedd y gwynt fel pe bai'n cyrraedd pob un o'i chyhyrau a'i chymalau.

Profiad rhyfedd oedd rhannu gwely efo'i mam. Dwy ddynes yn eu hoed a'u hamser, yn ceisio peidio cyffwrdd rhannau o gyrff ei gilydd, er i un fod y tu mewn i'r llall unwaith. Meddyliodd Ishi Mai am ddoliau Rwsiaidd, y Matryoshka. Un y tu mewn i'r llall y tu mewn i'r llall y tu mewn i'r llall yn ddiddiwedd.

Na, nid yn ddiddiwedd, roedd pen draw ar bob cyfres. Doedd dim o'r fath beth ag anfeidredd.

Cododd Ishi Mai ar ei heistedd yn y gwely. Gallai dyngu bod lleithder yn dal i lynu at y cynfasau. Roedd ei mam wedi hen godi, a gallai Ishi Mai ei chlywed lawr grisiau'n symud, yn gwneud paned a brecwast yn y gegin. Dyma'r eildro i'w mam dreulio amser, cwlffyn o amser, yma yn y tŷ o fewn ychydig fisoedd. Arhosodd am wythnos pan ddaeth yma wedi'r ymosodiad ar Ishi Mai a threulio llawer o amser yng nghwmni ei nain. Y tro hwn, roedd hi wedi gofyn i Ishi Mai ddod gyda hi.

'Mae'n bryd clirio'r tŷ,' meddai wrth Ishi Mai. 'Fedra i mo'i neud fy hun.'

Tybiai Ishi Mai y gallai ei mam fod wedi'i wneud yn iawn heb ei help hi, gan ei bod hi wedi troi rhyw gornel ynddi hi ei hun. Ni wyddai ai'r ymosodiad ar ei merch a'i hysgydwodd, gwneud iddi weld fod yn rhaid iddi godi o bydew galar a symud, ymadfer, gweithredu, byw. Ond roedd rhyw fflam newydd ynddi, rhyw awydd newydd i fwrw ymlaen, i ailafael ynddi. Gallai'n hawdd fod wedi ymdopi â chlirio'r tŷ ei hun, gallai, ac roedd Ishi Mai yn amau erbyn hyn mai gweld cyfle roedd ei mam, rhyw fath o ddefod i'r ddwy ohonyn nhw ei chyflawni gyda'i gilydd. Defod a ddynodai newid i fyd y ddwy.

Teimlai Ishi Mai iddi fod drwy'r felin go iawn ers yr ymosodiad. Gogwyddai ei hemosiynau rhwng cymylau gorfoledd a phwll du anobaith. Roedd hi wedi bod yn y ddau le droeon mewn cwta ddeufis. Gorfoledd yn sgil llwyddiant ei harddangosfa a ddaethai i ben yr wythnos cynt, a'r ffaith ei bod hi'n *fyw*. A phwll du anobaith am iddi gael ei thrywanu â chyllell a'i gadael fel pe bai'n farw gan ddau lanc (a oedd yn ei chasáu er nad oedden nhw'n ei nabod hi o gwbl. Sut allai pobol fod fel oedden nhw? Sut oedd y fath gasineb yn bosib gan bobol nad oedden nhw'n ei nabod hi? Sut allai ffaith ei bodolaeth ennyn y fath gynddaredd ynddyn nhw?).

Yn aml hefyd, dygai'r gwacter ar ôl prysurdeb arddangosfa, a'r ymchwydd o lawenydd yn sgil adolygiadau da, deimladau o ofn i'w ganlyn. Beth nesaf? Beth os na ddôi dim arall? Beth os oedd ei chelfyddyd, ei hawen, wedi sychu'n grimp erbyn hyn?

Ers yr ymosodiad, sylweddolai Ishi Mai pa mor fregus oedd hi mewn gwirionedd, pa mor fregus oedd popeth. Hi, bywyd, ei chydnabod, cymdeithas. Pobol nad oedd hi'n eu nabod, mi allen nhw droi ar ben pìn, gwenau'n troi'n wg ar amrantiad. Roedd Ishi Mai yn hynod o ymwybodol o achosion tebyg i'w phrofiad hi bellach, a phob stori newyddion am ymosodiadau tebyg yn ailgynnau'r hunllef yn ei phen. Ni allai ymatal rhag ymateb iddyn nhw, er bod clywed amdanyn nhw'n achosi poen, corfforol bron, iddi. Yr holl deimladau budron a godai fel chwd o ymysgaroedd y boblogaeth, sut nad oedden ni'n gwybod eu bod nhw yno? A sut oedd rhywun i fod i gredu'r holl wynebau eraill? O ble y daeth y gallu i wenu casineb, i dwyllo'n ddi-dderbyn-wyneb? Ni allech ymddiried yn neb, roedd pawb yn gwgu y tu ôl i'w masgiau.

Ond gwawriodd arni hefyd ei bod hi wedi dechrau dirnad cyn yr ymosodiad, wrth gyflawni'r gwaith ar Hannah-Jane, cyn lleied roedd hi'n adnabod pobol. Ar ôl treulio'i hoes yn credu yn ei gallu i adnabod ei thestun, i syllu i'w berfedd a'i ddeall tu chwith allan, gwelsai nad oedd hynny'n wir. Roedd hi wedi dod oddi yma yn yr haf gan lwyr gredu ei bod hi wedi dehongli ei nain, wedi astudio pob elfen o'i chymeriad fel chwilio am lau pen drwy chwyddwydr, ac wedi llwyddo. Ond mi wyddai'n iawn erbyn hyn nad oedd hi ddim. Pan aethai i agoriad yr arddangosfa, dechreuodd weld y cyfan â llygaid newydd. 'Pwy ydw *i* i feddwl 'mod i wedi'i deall hi?' 'Does gen i ddim syniad.' 'Sut ar wyneb daear *alla* i ei nabod hi?'

Cadwodd ei hamheuon iddi hi ei hun. Roedd y newid yn ei mam, a oedd fel pe bai'n mynd ar lwybr i gyfeiriad cwbl groes i Ishi Mai, yn peri rhyw fath o esmwythâd iddi. Gwelai Suzie'n anadlu'r byd i'w hysgyfaint eto ar ôl cael ei mygu gan ei gofid mor hir. Ond o'i rhan hi, gwyddai mai codi hen grachen a wnâi ymhél â phethau ei nain unwaith yn rhagor, arllwys amheuon 'pam na fyswn i wedi gneud hyn?' wrth edrych ar betheuach Hannah-Jane. 'Byddai'r arddangosfa gymaint gwell pe bawn i wedi'.

Rhyw hen adeg felly oedd hi, meddyliodd Ishi Mai. Bron

na welech wifrau o nerfusrwydd yn yr aer. Neb yn gwybod dim yn iawn. Hen dywydd llwyd, a gwynt a glaw gaeafol yn chwipio drwy strydoedd gweigion y dre, yn debyg i bob blwyddyn, ond heb gael eu bendithio ag ambell fore prin o eira i lanhau'r baw. Edrychai'r stryd fawr yn debyg i'r hyn oedd hi ddegawd, hanner canrif yn ôl, ond yn llwydach. Sut ar wyneb y ddaear y doen nhw i ben â newid hyn oll erbyn y Dolig? Rhoi lliw ar wefusau'r dre? Amheuai Ishi Mai na fyddai'r un lliw i'r Dolig 'leni nac unrhyw Ddolig arall, a fedrai hi ddim dweud ai ei realiti hi ei hun oedd yn gwneud iddi deimlo felly, neu a oedd y realiti y tu allan iddi hefyd, y gwirionedd a berthynai i bawb, yn fwy diflas er gwaethaf pob twyll a geisiai ei wisgo mewn bôbls a thinsel.

Ceisiodd ei mam ei thynnu i wrthdystiad arall yn Llundain er mwyn symud ei meddwl, a chytunodd Ishi Mai, er mwyn ei mam lawn cymaint ag er ei mwyn ei hun. Beth bynnag fyddai canlyniad llanast Brexit yn y diwedd, teimlai Ishi Mai bellach mai wedi'i geni i brotestio roedd hi a'i chenhedlaeth. Doedd etholiadau ddim yn ddigon. Rhaid oedd gwrthwynebu'r drefn wyrdroëdig drwy wneud mwy na gosod croes mewn blwch. Doedd pethau byth yn mynd i fod yn iawn. Roedd yna bob amser frwydrau i'w hennill, a'u hennill drwy rym traed a lleisiau, drwy ledaenu geiriau o gegau a'r we. Dyna oedd byw bellach. O'r diwedd, roedd Ishi Mai wedi sylweddoli, er bod y frwydr yn un na allai mo'i hennill, mai yn yr ymdrech roedd ei gwerth. Fel milgwn yn erlid cwningen ffug, doedd dim dewis ond dal ati i redeg y ras.

Sylweddolai hefyd fod ei gwaith ar ei nain wedi agor drws arall ynddi. Drws i ran ohoni ei hun na wyddai ei bod yno. Wnaeth hi fawr o'r peth yn y gwaith a greodd ar Hannah-Jane. Doedd hi prin yn ymwybodol ohono ar y pryd. Ail-fyw ei geiriau wrth y sawl a ymosododd arni a wnaeth iddi sylweddoli fod y drws yno, ynddi. Geiriau a geisiai wneud yr hyn a gymhellai drais yn y ddau a ymosododd arni yn llai – dim ond hanner Siapanead ydw i! Geiriau a'i deffrôdd i'r ffaith ei bod hi'n hanner Cymraes hefyd. Dyna pryd, neu wedyn, wrth ei ail-fyw drosodd a throsodd, y sylweddolodd Ishi Mai yn iawn beth oedd hi, pwy oedd hi.

Ac eto, cystuddiai ei hun mai felly y bu, mai drwy ddau gythraul diwerth y daeth i feddwl fel hyn am bethau, a thyrchu'n ddwfn i mewn iddi hi ei hun. Bu'n rhaid iddi gyfiawnhau ei bodolaeth, dadlau fod ganddi lawn cymaint o 'hawl' i fod yma ag a oedd gan y ddau a ymosododd arni: fan hyn y cafodd hi ei geni. Felly, o ddilyn llinyn ei rhesymeg, rhesymeg a orfodwyd allan ohoni dan fygythiad dwrn, pe na bai hi wedi'i geni ar yr ynysoedd hyn, byddai wedi haeddu'r hyn a gafodd, wedi gofyn am ei chreithio gan lafn y gyllell. Ai pen draw'r rhesymeg honno, yn ddwfn ynddi, oedd ei bod hi'n cytuno â'i hymosodwyr? Pe *na* bai hi wedi'i geni yma, byddai hynny wedi gwneud pethau'n wahanol? Ai dyna roedd hi'n ei deimlo go iawn, yn ddwfn tu mewn iddi yn rhywle? Teimlai'n gachgi, yn ddieithr yn ei chroen ei hun, a deuai chwthwm o ddryswch, ac ergyd y felan drosti'n aml wrth ail-fyw'r teimladau a ddaeth iddi wrth wynebu'r ddau mewn *slo-mo* eithafol o ara deg.

Doedd ganddi ddim owns yn fwy o hawl i fod yma na'r bobol a ddaeth yma yng nghefn lorri, mewn cychod, yng nghanol cargo awyrennau, ar y gwynt. Pwy oedd hi i honni hawl? A wedyn, pwy oedd hi i honni ei bod hi'n hanner Cymraes, hi na wnaeth arddel ei Chymreictod yn iawn erioed, y tu hwnt i gyfri i ddeg yn iaith y wlad honno? Wnaeth hi ddim erioed a'i gwnâi'n Gymraes, ac eto, wrth wynebu dwrn difodiant, llafn y gyllell drwy ei chalon, defnyddiodd ei Chymreictod, a dod ohoni'n fyw.

Ni wyddai Ishi Mai fod hynny'n wir go iawn. Roedd hi'n fwy tebygol na fwriadai'r ddau ei lladd hi, roedden nhw'n ormod o gachgwn eu hunain i wneud hynny. Dim ond ei marcio. Rhybuddio. Y tro nesaf efallai, y tro nesaf, mi fydden nhw'n gwthio'r llafn yn ddyfnach, rhoi tro i'r carn. Plymio i ddarn mwy bregus o'r corff. Y tro nesaf y byddai rhethreg rhai eraill, rhai parchus a gâi sylw diddiwedd a di-ben-draw a rhad ac am ddim i'w hiliaeth ar focs a llwyfan ac ar lawr seneddau, yn codi natur ynddyn nhw, yn cynhyrfu digon arnyn nhw i fynd i chwilio am rywun a edrychai'n wahanol iddyn nhw.

Sawl, sawl gwaith dros y ddeufis a aeth heibio, roedd Ishi Mai wedi chwydu'r gybolfa o deimladau wrth ei mam, yn ei fflat yn Llundain, neu dros y ffôn yn nosweithiol. Doedd hi erioed wedi sylweddoli o'r blaen, neu heb gael achos i sylweddoli cyn hyn, pa mor bwysig oedd ei chael hi yno, neu ar ben arall y ffôn, i wneud dim byd ond gwrando.

Tynnodd Ishi Mai y gardigan yn dynnach amdani rhag yr oerfel, a chlywodd gnoc ar y drws.

'I be wyt ti'n cnocio?' gofynnodd i'w mam. Os oedden nhw'n rhannu gwely â'i gilydd, gwely tamp ei nain, doedd bosib nad oedd gofalu cnocio cyn agor y drws yn chwerthinllyd braidd.

Daeth ei mam i mewn yn cario paned iddi. 'Meddwl hoffet ti hon yn dy wely.'

Estynnodd Ishi Mai ei llaw amdani'n ddiolchgar, a chofleidiodd y gwres. Eisteddodd Suzie ar erchwyn y gwely.

'Does gen i ddim syniad lle i ddechrau,' meddai ei mam. Roedd y ddwy wedi cario bocsys o'r car neithiwr ac roedd rhesaid wag ar y landin, a llond llaw arall yn y stafell fyw yn barod iddyn nhw ddechrau eu llenwi. 'Bydd rhaid cadw'r lluniau, mae'n debyg. Ti ddylai eu cael nhw, ti a Gethin. Lluniau ohonoch chi'ch dau yw'r rhan fwya ohonyn nhw.'

'Bai pwy ydi'u bod nhw ganddi? Ti anfonodd nhw ati.' Gwenodd Ishi Mai ar ei mam, cyn ychwanegu, 'Dwi'n siŵr y medra i ddod o hyd i le i rai ohonyn nhw os gneith Gethin a Jackson le i rai hefyd. Falla gallwn i ddod o hyd i ddefnydd arall i'r fframiau, a gosod y lluniau'n daclus mewn albwm. Un i fi ac un i Geth.'

'Falla gallet ti greu albwm iddi hi, yn y cartra.'

Mwythodd Ishi Mai ei chwpan. 'Diolch, Mam,' meddai o rywle.

'Am be? Am banad?'

Gwenodd Ishi Mai arni.

Gosododd ei phaned ar y cwpwrdd bach ar bwys y gwely, ac aeth i estyn ei ffrog oddi ar lawr. Gorau po gyntaf y caen nhw ddechrau.

# 14

Doedd gan Beth fawr o amynedd mynd drws nesa, ond roedd Suzie wedi gofyn iddi bicio draw, a fedrai hi ddim gwrthod yn hawdd iawn. Bu'n wythnosau ers iddi roi ei phen i mewn i weld fod pob dim fel y dylai fod yn y tŷ, ac yn fisoedd lawer ers i Hannah-Jane fod yno iddi gael nôl torth iddi. Anaml y meddyliai am Hannah-Jane y dyddiau hyn, sylweddolodd. Roedd ei meddwl yn rhy lawn o baratoadau ar gyfer y Nadolig, ei Nadolig go iawn cyntaf hi a Dafydd, heb sôn am y briodas oedd ganddi i'w threfnu ar gyfer canol mis Chwefror.

A dyma Suzie'n ffonio ddeuddydd yn ôl i ofyn am ei help, heddiw o bob diwrnod. Bu bron iddi ddweud wrth Suzie nad oedd ganddi amser rhwng popeth i fynd i roi trefn ar bethau Hannah-Jane, gorchwyl nad oedd yn fusnes iddi hi beth bynnag, tybiai, gan nad oedd hi'n perthyn iddi, a byddai'r hen wraig wedi gwaredu pe bai'n deall fod 'honna drws nesa' yn mynd drwy ei stwff hi.

Ac yn fwy na dim, roedd ei dwylo'n llawn yn helpu Carwyn ac Andrew i symud. Mi fydden nhw i fyny yn y fan ddiwedd y prynhawn a llond y lle o bethau i'w cael i drefn yn y tŷ teras roedd y ddau wedi llwyddo i'w rentu ar fyr rybudd wedi i Andrew gael gwaith fel swyddog llys yn Llys y Goron, swydd roedd o i fod i ddechrau arni ddydd Llun.

'Duw, fydd 'na ddiawch o ddim i ti neud cyn cyrhaeddan nhw o Gaerdydd,' wfftiodd Dafydd pan fynegodd ei rhwystredigaeth eto fyth, 'a be bynnag, fyddwn ni ddim isio chdi dan draed. Fydda i yno i helpu i symud dodrefn. Ma isio bôn braich.'

Cafodd ddwrn modrwyog yn ei fraich am herio.

Doedd Beth ddim yn deall yn iawn beth oedd wedi newid meddwl Carwyn ynglŷn â dod yn ei ôl adra i fyw. Roedd o wedi mynd cyn belled â rhoi'r gorau i'w swydd yn syth wedi i Andrew glywed ei fod wedi cael y swydd yn dre, ac wrthi'n chwilio am waith yn y gogledd. Rhaid eu bod nhw wedi siarad, wedi trafod. Digon tebyg eu bod nhw wedi cynllunio'r cyfan wrth gwrs. Beth wyddai hi?

'Ddim dre fel oedd hi ydi hi rŵan,' meddai Carwyn wrthi dros y ffôn pan feiddiodd hi leisio'i hanghrediniaeth. 'Ddim fel dwi'n 'i chofio hi.'

'Ti'n swnio fatha tasat ti'n gant a hanner,' meddai ei fam wrtho.

'Ma petha'n medru newid yn sydyn weithia,' meddai Carwyn wedyn. 'A be bynnag, ma Andrew wedi disgyn mewn cariad â'r lle.'

Gallai Beth goelio hynny: mae rhywun yn gweld pethau'n hollol wahanol drwy lygaid ei gariad.

Andrew. A'i Gymraeg dieithr a arferai wneud iddi wrido drosto, a dros Carwyn. Acen ddeheuol a llediaith, cwbl wahanol i Gymraeg dre. Be aflwydd welai o yn dre? Be oedd 'na yma iddo fo'i licio? Be oedd yma i neb ei licio?

Daethai'r ddau i fyny ar wyliau ddwywaith neu dair dros yr wythnosau diwethaf, a phob tro y deuent, roedden nhw fel pe baen nhw am y cyntaf i weld pethau newydd yma a werthai'r lle iddyn nhw fel lle i fyw.

'Beics fydde'n dda!' cyhoeddodd Andrew. Ac mi brynwyd bobi feic i fynd i archwilio cuddfannau'r berfeddwlad.

'Sna nunlle fatha tafarna dre i ddangos i ddyn be 'di byw!' datganodd Carwyn wrthi ryw fore ar ôl i'r ddau fod allan y noson cynt. A Beth wedi meddwl mai mynd i dafarnau dre i farw efo'r lyshus eraill a wnâi'r no-hopars a eisteddai ar stôl wrth far o un diwrnod i'r llall.

Pwy oedd hi i fynd i ddadlau? Teimlai fod ei chalon yn byrstio o lawenydd eu bod nhw'n dod adra ati. Rhybuddiodd ei hun fwy nag unwaith i beidio â mygu Carwyn, neu 'nôl i Gaerdydd fyddai o'n mynd ar ei union. Ond gwyddai Beth bellach nad oedd peryg o'i fygu. Roedd ganddi ddigon yn Dafydd i'w chadw'n fywiog lawen, ac allan o ffordd ei mab a'i gariad.

Byddent yn priodi yr ochr arall i'r Nadolig ym mis Chwefror, digon pell i ffwrdd i allu trefnu brecwast priodas bach arbennig i'r llond llaw ohonyn nhw a fyddai'n bresennol, ond yn ddigon agos at ddechrau'r flwyddyn newydd i'r digwyddiad deimlo fel adeg addas i rannu addunedau a chyfnewid llwon. Yn swyddfa'r cofrestrydd y byddai'r seremoni ei hun, a Carwyn ac Andrew'n dystion. Pe bai'n gwbl onest â hi ei hun, rhyw hen lol wirion oedd priodi, er na fyddai wedi cyfaddef hynny wrth Dafydd am bensiwn rhag ei siomi. Roedd elfennau reit hen ffasiwn yn perthyn i'w dyweddi, ac yn groes i'r hyn y byddai hi ei hun wedi'i ddisgwyl, roedd rhywbeth go atyniadol yn hynny.

Penderfynodd Beth na fyddai angen gwahodd neb heblaw'r ddau dyst i'r briodas. Ond ers iddi fod yn gwneud mwy a mwy gyda Suzie dros yr wythnosau diwethaf, ac Ishi Mai yn ei hôl nawr, teimlai y dylai ofyn iddyn nhw ddod hefyd. Roedd 'na gant a mil o ffrindiau a pherthnasau eraill y gallai eu gwahodd, ond rhyw gadwyn ddi-dor oedd honno: o ofyn i un, byddai'n rhaid gofyn i gant, a doedd hi na Dafydd ddim eisiau hynny. Dim ond dwy oedd Suzie ac Ishi Mai.

\*

Teimlai Beth fel olwyn sbâr ynghanol y bocsys. Tueddu i luchio pethau i'r bag ailgylchu a wnâi Suzie, ac Ishi Mai yn trwyna drwy'r bagiau wedyn gan achub ambell 'hwn yn handi' i'w bocs ei hun.

'Ti'n mynd â hwnna 'nôl efo ti i Lundain,' gorchmynnodd Suzie fwy nag unwaith wrth ei gweld yn tynnu pethau o'r cydau. 'Dwi'm isio gorfod dod yn ôl i fynd drwy'r petha rwyt ti'n eu gadael ar ôl.'

'Llwyau te?' galwodd Beth wrth fynd drwy un o ddroriau'r gegin.

'Ailgylchu,' galwodd Suzie.

'Gyma i nhw,' meddai Ishi Mai.

Ac felly y bu drwy'r bore.

'Falla medri di neud efo hwn i dy *bottom drawer*,' meddai Suzie wrth Beth yn Gymraeg. Daliai liain bwrdd lesiog gwyn o'i blaen. 'Dyma'r math o beth fyddai pobol yn arfer 'i gadw.'

Dechreuodd Beth wneud yr wyneb lled ddiolchgar ond ymddiheurgar ar yr un pryd a ddangosai i Hannah-Jane pan fyddai honno'n cynnig ei phaned de mewn cwpan plastig a phig arno iddi yn y cartref.

Chwarddodd Suzie a lluchio'r lliain i'r cwdyn du. 'Tynnu dy goes di. Wna i ddim hwrjo dim arna chdi. Ti'n gwbod yn iawn bod 'na groeso i ti gymyd unrhyw beth wyt ti isio.'

Gwenodd Beth yn ddiolchgar. Go brin fod 'na ddim. Byddai'n rhyfedd meddwl am y tŷ yn eiddo i rywun heblaw Hannah-Jane, ond chwilfrydedd, yn fwy na diflastod, a'i meddiannai wrth iddi geisio dychmygu pwy a ddôi'n gymdogion newydd iddi hi a Dafydd.

Symudodd Beth ymlaen at y cyllyll a'r ffyrc. Roedd olion hen fwydach heb ei olchi'n iawn ar rai. Mentrodd luchio'r cyfan i'r bin ailgylchu metel. Câi Ishi Mai fynd i chwilota amdanyn nhw os oedd hi eisiau'r rheini hefyd. Ar ôl ei wagio o gytlyri, tynnodd Beth y cynhwysydd plastig a'u daliai allan. Doedd fawr o iws i hwnnw chwaith, a rhoddodd ffluch iddo i'r bin ailgylchu plastig. Ceisiodd dynnu'r drôr allan ac wrth wneud, sylwodd ar hen dun da-da metel rhydlyd yn y cefn. Estynnodd amdano.

Ers pryd oedd hwn wedi bod yn ei guddfan, tybed? Wrth weithio'r caead yn rhydd o'i rwd, daliodd ei hun yn gobeithio i'r nefoedd nad bwydach o unrhyw fath oedd ynddo. Byddai wedi caledu'n ffosil bellach.

Papurau. Llythyrau. Hen filiau siop a dyddiadau yn y 1950au arnyn nhw. Dechreuodd agor un o'r papurau, a gweld mai tystysgrif geni ydoedd. Rhoddodd hi'n ôl i lawr yn ei phlyg ar ben y papurau eraill.

'Suzie?' galwodd. Gosododd y bocs i lawr ar y wyrctop. Nid ei lle hi oedd edrych drwy ei gynnwys. 'Fedri di ddod yma am eiliad?'

Daeth Suzie ar unwaith, wedi clywed yr ansicrwydd yn llais Beth. Gwelodd y tun, a'r pentwr bach o bapurau.

'Ti ddylia fynd drw'r rhain.' Trodd Beth i fynd allan o'r stafell.

Ond roedd Suzie wedi gafael yn y papur ar ben y pentwr ac wedi gweld mai tystysgrif oedd o.

'Beth, aros yma…' meddai, a throdd Beth yn y drws.

Agorodd Suzie'r dystysgrif, a'i darllen.

'Dy un di…?' mentrodd Beth ofyn.

Nodiodd Suzie, gan ddal i ddarllen y ddogfen. 'Dyma sy gen i. Neu gopi ohoni. Hon ydi'r wreiddiol. To'n i ddim yn gwbod lle oedd hi. Ond mae gin i un arall bron ers i mi adael gynta.'

Wel, oedd wrth gwrs, meddyliodd Beth. Mi fyddai ganddi gopi. Byddai wedi bod angen tystysgrif – pwy yn y byd allai fyw oes gyfan heb gofnod o'i eni? Byddai Suzie yn gwybod yn iawn beth oedd arni. Neu'r hyn nad oedd arni.

'Y bwlch mawr,' trodd Suzie ati a gwenu'n drist. 'Father: unknown.'

Wrth gwrs.

Plygodd y dystysgrif yn ei hôl. 'Da gweld yr un wreiddiol wedi dod i'r fei.' Rifflodd drwy weddill y papurach. 'Resîts. Bilia. Tun petha pwysig, ma'n amlwg.'

Agorodd Beth ddrôr arall a thynnu ei lond o lieiniau sychu llestri.

'Lle ailgylchu?' meddai.

Ond roedd Suzie wrthi'n darllen rhywbeth arall o'r pentwr papurau o'r tun. Gwelodd Beth mai llythyr oedd ganddi yn ei llaw, un mewn ysgrifen fân ar bapur tenau.

'Be sgin ti...?'

'O, *my god*!' ebychodd Suzie, a diflannodd y lliw o'i hwyneb ar amrantiad.

# 15

DARLLENODD SUZIE:
          'Hannah-Jane,

Rwy'n ysgrifennu atoch am fy mod yn teimlo y dylwn gadarnhau'n ffurfiol y materion y buom yn eu trafod pan ymwelsoch â mi brynhawn ddoe yng nghwmni eich mam.

Y mae'n flin iawn gennyf glywed am eich anffawd. Dywedais hynny wrthych ddoe, ac rwy'n ei ddweud heddiw hefyd. Loes calon i mi yw gweld aelod o'r capel, aelod mor weithgar o'r capel, a merch i ddau mor ffyddlon a duwiol â'ch rhieni chwithau, yn profi'r fath ddarostyngiad. Gwn y daw cariad Duw i'ch cynorthwyo fel teulu drwy'r brofedigaeth hon, a diau y bydd Ei ymyrraeth, ar ba ffurf bynnag y daw Ei ras i'ch cyffwrdd, yn derfyn ar eich dioddefaint presennol.

Gwn eich bod wedi dweud ddoe mai eich bwriad yw cadw'r plentyn, eithr rhaid i mi eich cynghori, fel cyfaill yng Nghrist, a rhywun sy'n ystyried fy hun yn gydymaith bugeiliol i aelodau'r capel yn wyneb cyfyngderau, nad wyf yn credu y daw da o wneud hynny. Yr ydych yn rhinweddol yn eich bwriad i sicrhau ei daith i'r byd, eithr pa fath o fywyd a'i hwyneba os mynnwch ei gadw? Pa fath o fywyd fyddai gan blentyn un rhiant? Bydd yn agored i wawd a sarhad ei gyfoedion, i dlodi ysbrydol yn ogystal â thlodi materol. Pwysaf arnoch i ailystyried, a derbyn fy nghyngor ynghylch rhoi'r plentyn i'w fabwysiadu gan rieni, dau riant, a rydd iddo bob bendith aelwyd gyfan gariadus, a chyfle i wneud ei orau yn y byd er lles Duw.

Gallech ddibynnu arnaf i wneud y trefniadau. Nid oes raid

ond gofyn, ac mi rown y cyfan ar waith. Gwn am sefydliad yn y gogledd yma a fyddai'n barod iawn i drefnu'r mabwysiadu. Buasai cynrychiolydd ar eu rhan yn bresennol yn yr ysbyty ar adeg yr enedigaeth, i sicrhau na fyddai angen i chi weld y plentyn cyn ei gyrchu at ei rieni newydd. Gwneuthum drefniadau o'r fath mewn amgylchiadau tebyg o'r blaen, felly gwn rywfaint ynghylch y pethau hyn. Yn ogystal â hynny, wrth gwrs, buasai dewis y cyfryw drywydd yn eich achub rhag cael eich diarddel o'r capel.

Yn olaf, ategaf fy ngofid eich bod wedi fy nghyhuddo i o fod ag unrhyw beth i'w wneud â'ch sefyllfa. Gofynasoch am arian i symud i rywle arall i fyw gyda'r plentyn, a dywedais ddoe wrthych chi a'ch mam na allwn ei roi i chi gan y byddai hynny'n awgrymu fod gennyf ran yn eich sefyllfa enbyd. Tybiaf fod eich mam yn fy nghredu yn ei chalon, ac mai dod yma o gariad mamol atoch chi a wnaeth.

Y mae'n loes calon gennyf gredu fod pa gyfyngder meddyliol bynnag y dioddefwch ohono yn gwyrdroi'r gwir i'r fath raddau nes fy nghynnwys i yn eich dychmygion ffwndrus. Nid oes a wnelo'r plentyn â mi, fel y gwyddoch yn burion yn eich calon, rwy'n siŵr, ac erfyniaf arnoch eto i bwyso ar eich mam a chael cryfder ganddi i wynebu'r gwir parthed fy niniweidrwydd yn y mater hwn. O wneud hynny, gallwch ddechrau troi'r ddalen ar y bennod anffortunus hon, rhoi'r plentyn i rieni a all sicrhau dyfodol go iawn iddo, a dechrau eto â llechen lân. Ni fyddai'n rhaid i fawr neb fod ronyn yn gallach.

Wedi dwys ystyried ac edrych i mewn i'm calon dros nos, ac o nodi eich pendantrwydd ddoe na ddymunwch elwa ar fy ngair diffuant o gyngor, yr wyf wedi penderfynu troi llygad dall at y perygl o gamddehongliad ymysg aelodau eraill y gymuned hon, ac ymollwng mewn ysbryd o drugaredd pur i gynnig cymorth ariannol i chi. Fel Cristion, ni allwn wneud dim llai na rhoi yn ôl fy ngallu i helpu un o ffyddloniaid y capel yn ei hawr o gyfyngder, a'r hon a olygaf wrth hynny o eiriau wrth gwrs yw eich mam, druan.

Mi welwch wedi'i hamgáu siec am gan punt i fod o gymorth i chi wneud cartref i chi a'r plentyn mewn man arall, ymhell o gyrraedd tafodau cydnabod sy'n orbarod i fwrw eu llach ar rai llai ffodus na hwy eu hunain. Gallech yn hawdd fwrw gwraidd mewn ardal newydd heb ddim o'r sen a fwrir arnoch yn y dre hon. Pe bai o fusnes i neb, y mae'n ffaith drist fod gwragedd ifanc yn colli eu gwŷr yn wastadol drwy ryw drychineb neu afiechyd neu'i gilydd.

Eithr nid oes raid i mi fynd i awgrymu stori i chi, gan y gwn yn iawn y gallwch greu stori gystal â'r un y gallwn i ei chreu. Ystyriwch hyn yn ddechrau ar bennod arall yn eich bywyd, ar gyfle arall ganddo Ef. Dyna y bydd y Cristion yn ei wneud yn feunyddiol, gweld cyfle arall i wneud yn well. Erfyniaf arnoch i fanteisio ar y cyfle hwn.

Unwaith eto, y mae'n peri tristwch enbyd i mi eich bod, drwy ba ddryswch meddwl bynnag, yn credu bod unrhyw beth wedi digwydd rhyngom ni ein dau erioed – y mae ysgrifennu'r geiriau hynny ynddo'i hun yn codi pwys arnaf – ac rwy'n difrif obeithio y daw goleuni Duw i glirio'r fath ddychymyg cyfeiliornus o'ch meddwl a llenwi eich calon â'i ras.

Yr eiddoch yn yr Arglwydd,

Edward J. Williams.'

Sylweddolodd Suzie ei bod yn crynu. Rhoddodd y llythyr i lawr, ac ailadrodd 'O, *my god!*' dan ei gwynt.

'Wyt ti'n iawn?' Safasai Beth tu ôl iddi tra bu'n darllen.

Nodiodd Suzie. 'Fo,' meddai. Ac nid oedd angen iddi egluro i Beth pwy roedd hi'n ei feddwl.

Cnodd Suzie ei gwefus uchaf. Byddai'n rhaid iddi ddangos y llythyr i Ishi Mai, ond roedd hi angen ychydig funudau i amsugno'i gynnwys yn gyntaf.

Trodd Beth i fynd, ond doedd Suzie ddim am gael ei gadael ar ei phen ei hun. 'Aros eiliad.'

Arhosodd Beth. Aeth tuag at y tegell. 'Cliché, dwi'n gwbod, ond falla 'sa well i ni gael panad.'

Cododd Suzie y llythyr eto a mynd i eistedd wrth y bwrdd bach fformeica. 'Does 'na ddim byd newydd ynddo fo. Ddim go iawn. Dwi 'di gwbod erioed nad oedd 'na berthynas go iawn rhyngddyn nhw. Un swyddogol, felly, neu mi fysa hi wedi deud. Mond 'i enw fo wrth gwrs. Mae hwnnw'n newydd, ond dydi o'n golygu dim i mi.'

'Oedd o'n briod?' holodd Beth.

Cododd Suzie ei hysgwyddau ac edrych ar y llythyr. 'Ma'r llythyr 'ma'n jôc. Ceisio gwadu, ac eto, mae'n glir fatha'r dydd gola mai fo ydi 'nhad i. Mi roddodd o gan punt iddi fynd o 'ma.'

'Ond wnaeth hi ddim.'

'Naddo.'

Pam nad aeth hi? A'i nain, mam Hannah-Jane...? Roedd yr Edward 'ma dan yr argraff nad oedd hi'n coelio'i merch. Neu falla'i bod hi'n amau cyn mynd draw yno, ond ei bod hi wedi mynd oddi yno'n ei gredu. Ac efallai'n rhagweld mai rhoi ei phlentyn i'w fabwysiadu fyddai Hannah-Jane yn ei wneud yn y pen draw, yn union fel roedd Edward yn ei awgrymu. Sgubo'r babi dan y mat.

Gosododd Beth baned o'i blaen. Estynnodd Suzie y llythyr i Beth. 'Wyt ti'n gwbod pwy oedd o?'

Darllenodd Beth yr enw ar waelod y llythyr, cyn ysgwyd ei phen.

'Mi glywish i hi'n sôn am Nedw cyn iddi fynd i'r ysbyty,' meddai. 'Mond unwaith neu ddwy. Meddwl ei bod hi wedi'i weld o yn y nos. Ond roedd hi'n gweld sawl un yn y nos. Dyna'r unig droeon i mi ei chlywed hi'n enwi Nedw, cofia.'

Nedw. Edward. Ia, fo oedd o debyg. *Useless little shit,* cofiodd ei mam yn ei ddweud yn fideo Ishi Mai. Pam? Am fethu cyfaddef mai fo oedd tad y babi, siŵr iawn. Ei thad hi.

'Pwy fysa'n gwbod amdano fo?' holodd Suzie. Doedd ganddi ddim syniad faint o bobol yr un oed â'i mam oedd yn dal yn fyw yn dre. A phrin y cofiai pwy oedd y rhai roedd ei mam yn agos atyn nhw pan oedd hi'n tyfu i fyny.

'Mi fydd 'na ddogfenna capal yn yr archifdy, ma'n siŵr,' meddai Beth. 'Rhestra cyfrifiad a phetha felly. Ond ma raid bod rywun yn 'i gofio fo. Fedrwn ni ofyn i bobol.'

'Edward Williams. Enw braidd yn gyffredin,' meddai Suzie'n amheus.

'Mae 'na un hen ffrind i Hannah-Jane yn dal yn fyw,' cofiodd Beth. 'Grace Roberts? Mi oedd dy fam yn arfar gneud tipyn efo hi yn ôl fel o'n i'n ddallt.'

'O ia, wn i. Anti Grace fyswn i'n 'i galw hi pan o'n i'n blentyn. Mi oedd hi'n gwisgo pen llwynog am ei hysgwyddau. Un go iawn. Ych a fi.'

Dynes smart. Llawer mwy siaradus na'i mam. Felly, roedd honno'n dal ar dir y byw...

'Mi fuo hi'n siarad lot am Grace. Yn enwedig hi a Grace a Mam yn blant. Mi oeddan nhw'u tair yn neud dipyn efo'i gilydd. A mi gariodd 'mlaen i neud efo Grace, bell ar ôl i Mam farw. A dwi'n siŵr 'i bod hi 'di bod yn mynd i'w gweld hi yn y cartra 'na ben arall y dre. Oakdene?'

'Pwy 'sa'n meddwl 'sa'r ddwy'n gorffan 'u hoes mewn cartrefi ar wahân yn yr un dre.'

'Falla 'sa'n syniad mynd i weld Grace…?' awgrymodd Beth cyn tynnu 'nôl. 'Os wyt ti isio, 'lly.'

Nodiodd Suzie. Yn ei hofnau gwaethaf, pan oedd hi'n iau, roedd hi wedi dychmygu pob math o straeon posib. Y rhai gorau: y cariad tyner, unig gariad ei bywyd, a gafodd ei ladd mewn damwain, na allai ei mam yngan ei enw rhagor rhag torri'n deilchion; y gŵr priod, na lwyddodd i dorri hualau'r briodas honno, er mai Hannah-Jane oedd gwrthrych ei serch am byth. Yr holl ffordd drwodd i'r posibiliadau gwaethaf: y perthynas – pwy? Nid ei thaid! – a feichiogodd Hannah-Jane a'i thynghedu i fethu yngan ei enw byth eto; y cysgod tywyll dieithr a'i treisiodd wedi nos.

Wel, doedd yr un o'r rheini'n gywir, meddyliodd Suzie. Roedd hi'n amlwg yn nabod Nedw, ac wedi cael perthynas, er mor fyr, efo fo. Y munud y beichiogodd hi, roedd o'n gwadu pob dim. Rêl cachgi. Stori ddiflas yn y bôn. Y stori debycaf o'r holl senarios, y fwyaf diflas. Doedd dim sôn ei fod o'n briod, ond gallai'n hawdd fod. Hen stori ddiflas dynion. A genod penchwiban yn ddwl reit yn cael eu denu i'w breichiau.

*Useless little shit.* Pwy oedd o?

Geiriau cryf o geg Hannah-Jane ei hun, heb eu tymheru. Un o fil effeithiau ei hafiechyd, digon posib. Hawdd cydymdeimlo â hi, ond pam aros yn lle gadael dre? Os oedd 'na siec, a rhaid cymryd bod… pam aros i wynebu llach y gymdeithas yn yr amser hwnnw, sen capelwyr, a dal i fyw mewn cywilydd o dan yr un to â'i rhieni?

Y to hwn.

*

Chwerthin o'i hochr hi wnaeth Grace pan esboniodd Suzie pwy oedden nhw'u tair a beth oedd pwrpas eu hymweliad. Ac ystyried ei bod hi'n ddim mwy na llond llaw o ddynes, yn fregus fel doli risial, roedd nerth aruthrol i'w llais.

'A meddwl falla'ch bod chi'n cofio rwbath,' meddai Suzie'n wan. Typical, meddyliodd. Yr unig un ar y ddaear all ddweud rhywbeth wrtha i am bwy ydw i, ac mae hi lawn mor gaga â Mam. Pam na fyddai'r weinyddes fach a agorodd y drws iddi hi a Beth ac Ishi Mai wedi eu rhybuddio?

Yna, roedd Grace Roberts yn peswch ei henaid allan i hances bapur o'i llawes. Symudodd Suzie i'w helpu, ond doedd ganddi fawr o awydd ei tharo ar ei chefn rhag iddi dorri.

Daeth y peswch i ben o'r diwedd, a defnyddiodd Grace yr hances i sychu ei thrwyn. 'Raid i chi faddau i mi,' meddai ymhen hir a hwyr. 'Steddwch. Ma'n braf gweld rhywun.'

A mi neith rhywrai nad ydych chi'n eu nabod y tro, bechod, meddyliodd Suzie. Tynnodd Ishi Mai ei chadair yn nes at yr hen ddynes. Trodd Grace bâr o lygaid disglair ati a gwenu'n llydan. Ofnai Suzie ei bod hi am chwerthin eto.

Doedd hi ddim wedi bwriadu i Ishi Mai ddod gyda nhw, ond pan gyfieithodd Suzie gynnwys y llythyr iddi, roedd hi ar dân am ddatrys y dirgelwch. Fel hithau, roedd Ishi Mai wedi dechrau rhoi'r gorau i gredu y câi hi byth wybod pwy oedd ei thaid. Oedd, roedd hi wedi llunio gwaith ar Hannah-Jane a'i chyfrinach, ond wnaeth hi ddim llawer mwy na gwrando ar ei nain yn mynd drwy ei phethau – a'i recordio – gan ddibynnu ar yr hyn oedd gan yr hen wraig i'w ddweud, heb fynd i balu'n llawer dyfnach.

Dylwn fod wedi gwneud hynny fy hun ymhell cyn heddiw, meddyliodd Suzie. Efallai y byddai cymaint wedi bod yn wahanol pe bawn i wedi gwneud. Ac eto, roedd hi wedi trio, flynyddoedd mawr yn ôl. Ond heb ddal gwn at ben ei mam, wnâi hi ddim cyfaddef y gwir na datgelu'r nesaf peth i ddim am beth ddigwyddodd iddi.

'Hogan Hannah-Jane. Arglwyddedig, ma hynna'n mynd â fi 'nôl. Mi fuish i'n dy wthio di o gwmpas y dre 'ma mewn pram, hogan.'

A dechreuodd chwerthin eto wrth feddwl am y peth. 'Rownd a rownd y siopa, wrth 'y modd, fatha taswn i'n fam i chdi'n hun. *Proud as a peacock*!' canodd.

Ystyriodd Suzie gyfieithu i Ishi Mai ond penderfynodd adael i Grace fwrw yn ei blaen. Câi oleuo Ishi Mai eto.

'Toedd Hannah-Jane ddim wrth gwrs. Gas gynni roi'i thrwyn rownd drws i ddŵad allan o tŷ yn y dyddia cynnar hynny. Mi wellodd wedyn wrth gwrs. Mi ath 'i mam hi'n sâl, ac mi ddechreuodd sbio ar y byd ychydig bach yn wahanol. Toedd petha'n newid! Toedd y *dre* 'ma'n newid. Sawl un debyg iddi. Dwn i'm pam oedd hi'n meddwl 'i bod hi mor sbesial, mor bechadurus, chwadal Mr Gweinidog Tomos, achos doedd gynni ddim i fod â chwilydd ohono fo.'

'Grace...' dechreuodd Suzie. Sut oedd gofyn hyn? Y cwestiwn a'i plagiodd holl ddyddiau ei hoes. Doedd dim modd ei leihau, ei wneud yn gwestiwn ffwrdd-â-hi, na'i wisgo mewn rhywbeth llai nag ef ei hun. Roedd hi'n amlwg fod hon o gwmpas ei phethau ddigon iddi allu ei ofyn, er iddi chwerthin fel rhywbeth ddim yn gall pan gyflwynodd Suzie y tair ohonyn nhw iddi. 'Yma i ofyn am 'y nhad ydw i.'

'Y nhad. Dad. Rhyfedd oedd teimlo'r gair ar ei thafod.

'Wyddost ti ddim pwy oedd o?' Pwysodd Grace ymlaen ati a'i llygaid gwlyb yn fawr, fawr. Teimlai Suzie y gallai ddisgyn i mewn iddyn nhw.

'Ddim ond 'i enw fo,' meddai Suzie. 'Neu dwi'n cymyd mai fo oedd o. Falla ddim...'

Rhoddodd Grace ei llaw ar fraich Suzie. 'Ddudodd hi ddim wrthat ti byth? Arglwy', nesh i feddwl fysa hi wedi deud wrthat ti bellach.'

Teimlai Suzie ei hun yn crynu fymryn bach. Roedd hi'n amlwg fod Grace yn gwybod mwy na hi, ac roedd hi ar fin dweud wrthi. Pam na fyddai hi wedi meddwl gofyn i rywun oedd yn nabod ei mam cyn hyn? Pam gadael i'r degawdau dreiglo, a byw efo'r fath anwybodaeth?

Wyt ti wir *isio* gwybod, gofynnodd Suzie iddi hi ei hun. Ydi o'n bwysig bellach?

'Edward, 'de,' meddai Grace yn ddidaro. 'Nedw Blaenor. Rêl pyrfyrt, dyna nesh i ddeud erioed.'

''Dach chi'n siŵr? Dyna ddudodd Hannah-Jane wrthoch chi?'

'Ddudodd Hannah-Jane erioed 'run gair, ond dwi'n gwbod ers y dechra un. O'n i yno, to'n!'

Nefoedd! Rhaid bod y braw ar wyneb Suzie wedi bod yn ddigon i wneud iddi feddwl ddwywaith am ei hateb gan iddi chwerthin ac ychwanegu: 'Ddim yno *yno*, siŵr dduw, ond o gwmpas, 'de. Dwi'n cofio'n glir o achos be ddaeth wedyn. Mi ofynnodd Nedw Old Spice – ych, dyna oeddan ni'n 'i alw fo am bod o'n drewi o'r stwff er bod o'n bendant o fewn sniff i hannar cant. Wel, mi ofynnodd o am help i lanhau'r popty ar ôl capal ryw fora, a dyma'i mam hi'n deud y bysa Hannah-Jane yn barod iawn i neud.'

Arhosodd Suzie iddi orffen ei stori, ond roedd Grace i'w gweld dan yr argraff ei bod hi eisoes wedi'i gorffen. Trodd Ishi Mai i edrych ar ei mam. Tybed faint o hyn roedd hi'n ei ddeall drwy ystum wyneb a chywair llais? Sut y bu iddi anghofio siarad Cymraeg â'i phlant? Hwiangerddi Cymraeg fyddai hi'n eu canu i Ishi Mai, gan na wyddai unrhyw rai eraill. Ac ar ôl hynny...

'Ia,' porthodd Suzie. 'Be ddigwyddodd wedyn?'

'Toedd Hannah-Jane ddim 'run fath. Fedra i'm deud wrthach chi sut. Mond 'i bod hi wedi newid. Ymhob ffordd. 'I siarad. 'I hwylia. 'Im isio dod allan rownd dre.'

'Reit.' Cododd Suzie ei phen i edrych ar Beth a eisteddai'r ochr arall i Grace.

Gwenodd honno wên fach wantan arni a ddywedai: dyna'r prawf, chei di ddim mwy na hyn. Tystiolaeth tyst a adwaenai Hannah-Jane yn well na neb arall, debyg. Neb arall byw beth bynnag.

'Am faint fuon nhw'n canlyn, 'lly?' mentrodd Suzie.

'Pwy?' Syndod ar wyneb Grace rŵan. 'Hannah-Jane a Nedw Blaenor?' Ac mi ddechreuodd chwerthin fel peiriant eto fyth tan ei bod hi'n peswch i'w hances unwaith eto. 'Mi oedd Nedw Blaenor ddwywaith 'i hoed hi! Be ar wyneb y ddaear wnaeth neud i chi feddwl 'u bod nhw'n canlyn? Argol fawr, nag oeddan! Mi oedd gin Hannah-Jane fwy o dast na hynna.'

'Ond mi aethon efo'i gilydd. Oedd o'n briod...?'

'Duw, pwy cyma fo. Nag oedd siŵr!'

'Ond mi newidiodd wedi iddyn nhw gwarfod...'

'Cwarfod? Unwaith buodd hi efo fo. A sna'm isio bod yn Einstein i weithio'r syms allan, nag oes?'

'Felly...' porthodd Suzie eto.

Pwysodd Grace ymlaen yn bellach yn ei sedd, nes gwneud i Suzie ofni y byddai'n disgyn oddi ar ei herchwyn. Roedd hi wedi difrifoli bellach, heb arlliw o chwerthin yn perthyn iddi, a heb lefnyn o wên yn ei llygaid.

'Fel dudish i wrthach chi rŵan, a fel dudish i wrth Hannah-

Jane ar y pryd, cyn iddo fo ddigwydd – hen byrfyrt oedd Nedw Blaenor,' poerodd. 'Mi aeth hi i lanhau 'i bopty fo, a mi ddoth o 'no wedi'i baeddu. Ydach chi'n dallt be sgin i?'

'Mi gymrodd fantais arni,' cynigiodd Suzie, er mwyn cael gwared ar y llwyd yn y du a'r gwyn.

'Mae'n siŵr mai dyna fysan nhw wedi'i alw fo ers talwm,' meddai Grace.

'Beth fysach chi'n 'i alw fo, Mrs Roberts?' meddai Suzie, gan wybod yn iawn beth fyddai'r ateb.

'Rêp!' chwyrnodd yr hen wraig heb dynnu ei llygaid oddi ar rai Suzie.

Yn y tawelwch, daeth Suzie'n ymwybodol fod Ishi Mai wedi estyn ei llaw i afael am law arall ei mam, fel pe bai angen ei chynnal hi yn erbyn yr wybodaeth newydd hon, nad oedd yn newydd go iawn. Rywle'n ddwfn tu mewn iddi, roedd Suzie'n amau erioed mai'r senario waethaf un fyddai hi.

Na. Rywle'n ddwfn tu mewn iddi, ers blynyddoedd, degawdau efallai, roedd Suzie wedi *gobeithio* mai'r senario waethaf fyddai hi. Yr un a wnâi synnwyr o oerfel ei mam. Oerfel, pellter, a oedd wedi goferu o'i phlentyndod i weddill ei bywyd. Oerfel a edrychai i mewn iddi hi ei hun oedd o yn ei hanfod, nid allan ar Suzie, a'i synhwyro a wnâi Suzie, yn hytrach na'i deimlo. Bodolai gofal Hannah-Jane amdani'n blentyn yn y dryswch na pherthynai i neb rhwng caru a chasáu, ac ni allod Suzie wneud synnwyr o'r naill na'r llall tan heddiw.

Gallai, sylweddolodd Suzie, gallai fod wedi cael gwared arni. O'r diwedd, dyma'r gwir, yn ei holl hylltod, a wnâi synnwyr o gariad rhyfedd ei mam tuag ati, yn rhoi iddi ryw lonyddwch.

Yn rhy hwyr, wrth gwrs. Fel deilen yn crino ar y pren.

'Ddim 'yn lle i oedd deud wrth neb.' Daeth llais Grace ati

o bell. 'Mi fedra i gadw cyfrinach. Wnesh i ddim sôn gair wrth Hannah-Jane, ond mae hi'n gwbod 'mod i'n gwbod. Mi oeddan ni'n siarad am bob matha o betha dibwys yn dre 'ma stalwm, pawb drwy'i gilydd i gyd. Ond fysan ni byth yn torri gair am y petha pwysig.'

Trodd Grace Roberts i syllu ar Ishi Mai. Estynnodd ei llaw i dynnu ei gwallt o'i llygaid iddi gael ei gweld hi'n iawn. Gwenodd arni.

'Hen gnawas ragfarnllyd oedd Hannah-Jane yn gallu bod,' meddai wedyn. 'Raid i chi fadda i mi am chwerthin gynna,' meddai.

Troi'r cywilydd am allan, beio'r arall yn lle hi ei hun. Cofiai Suzie'r Hannah-Jane galed. Dyna'r unig Hannah-Jane a gofiai mewn gwirionedd, yr un a ddaeth ar ôl beth ddigwyddodd iddi.

'Ddudodd Hannah-Jane ddim byd wrtha i, cofiwch. Dim byd o gwbl. 'I darllan hi nesh i, dyna'r oll. A rŵan eich bod chi wedi gofyn, wel fedra i mond deud y gwir wrthach chi fel y gwelish i fo erioed.'

# 16

SIOC OEDD DARGANFOD nad oedd o'n wannach na fi wedi'r cyfan. 'Swn i 'di'i roid o'n drigain o leia, ond hannar cant oedd o ddarganfyddish i yn yr amser wedyn. Yr ar-ôl. Cryfach na fi ar 'y mwya gwyllt, yn fy arswyd mwya. Rhyfadd. 'Dan ni'n meddwl 'yn bod ni mor gryf.

Ond mi oedd gynno fo fantais yn yr ychydig eiliada pan rewish i mewn syndod gynta, wedyn mewn ofn, wedyn mewn arswyd, a wedyn mewn… be sy tu hwnt i arswyd? Delwi?

Delw ar lawr. Fy hun fel o'n i, yn marw ar lawr ei gegin o. Hen leino hyll oedd ar hwnnw hefyd, fel leino tŷ ni, ond yn hŷn, mond rw linella llwyd a brown, yn symud wrth 'y moch i, wrth i mi gael fy symud. Fentrwn i ddim troi 'mhen, fedrwn i'm troi dim byd arall. Symud fatha curo drwm, curo cloc, bob hyrddiad yn mynd â fi'n agosach at yr ar-ôl. Talpia tywyll, brasterog o faw yn sownd wrth waelod 'i bopty, lle roedd bwyd wedi colli. Pa ddisgwyl iddo fo allu morol drosto fo'i hun, a fynta'n ddyn, pa ryfadd fod bwyd yn colli ar lawr ar y leino dan y popty? Dan waelod y sinc, hen we pry cop a baw yn cacennu.

Pan afaelodd o yndda fi gynta, mi gesh i gymint o sioc fel na fedrwn i neud dim byd ond ildio. Disgyn ar lawr a'i law o am 'y ngwddw fi. Mi fuo raid iddo fo'i thynnu hi oddi yno wedyn pan ddechreuodd 'y mreichia i weithio, a dyna pryd sylwish i 'i fod o'n llawar cryfach na feddylish i erioed.

'I ben hannar moel efo amball gudyn cochlyd brith wedi'i gribo drost 'i gorun, ych a fi, pwy oedd o'n feddwl oedd o'n ceisio'i denu? Pen moel ei weddi afiach, pen blaenor, pen yn pwyo, pen sêt fawr, pen Calfaria, pwyo pwyo pwyo.

A dyma fo'n codi wedyn, a sbio arna i wrth gau sip balog 'i siwt capal. A throi oddi wrtha i'n syth, yn methu edrych arna fi, fatha taswn i ar fai. Mi fwmiodd rwbath, fysa well i ti fynd. A mi ddaeth 'na fywyd yn ôl i 'nghyhyra i wedyn, a mi sgythrish i, fatha llygoden fawr mewn bin, oddi ar y leino, ar 'y nhraed, codi'n neilons, be oedd ar ôl yn gyfan, i fyny 'nghoesa, i lle roedd o'n brifo.

Adra, mi lwyddish i i osgoi 'Nhad a Mam, a llithro fyny grisiau i fy ngwâl. I insbectio. Fedrwn i'm crio. Tynnu 'nillad, hynny gynta. Tynnu'r neilons. Tynnu'r nicars, lle roedd 'na stremps gwaed. Tynnu'r sgert. Tynnu'r flows. Tynnu 'mra. Cau'r cwbl mewn hen fag yn fy stafell wely. Mynd i folchi, heb sbiad arna i fy hun yn y drych yn y bathrwm.

Gwisgo wedyn, fatha mashîn. Gafael mewn pentwr o bapurau newydd, papurau gwaith. 'Mbwys be. Gafael yn y bag dillad. Allan i'r ardd. Fatha peiriant. Fatha cloc. Fatha fi newydd robot. Matsian yn y cwbl lle byddan ni'n llosgi petha'n rardd weithiau.

Be ti'n neud? medda Mam yn dod ata i wedi gweld. Llosgi petha.

Ma'r dillad yn cuddiad dan y papurach, fedrith hi ddim gweld.

Ti'n dewis dy amser, medda hi. Ma cinio ar bwr'.

Fydda i yna rŵan.

Ddangosist ti i Nedw Blaenor be i neud?

Do, Mam, do, medda fi, a meddwl, toedd o'n gallu'i neud o i gyd 'i hun heb fawr o help gen i, mond bod yno.

A rownd bwrdd, fedrwn i ddim cuddiad y cysgod ar 'y ngwyneb i. Cysgod yr ar-ôl. Roedd hi'n 'i ddarllan o. Mam.

Wnaeth Dad ddim. Mamau sy'n gwbod. A nes ymlaen, pan oedd Dad yn gwrando ar *Caniadaeth y Cysegr* ar y weiarles, dyna pryd daeth hi fyny grisia, curo ar drws a gofyn be oedd.

Chymodd hi ddim llawar i mi grio a chyfadda. Mi aeth hi'n rhyfadd i gyd. Os oeddwn i wedi disgwyl breichia amdana i, fatha ces i ganddi droeon dros y blynyddoedd am hyn a'r llall, wel ches i ddim. Mi drodd yn garreg arna i, carreg fud. Mam, deudwch rwbath. Nesh i mo'i annog o, ar fy llw. Dy air di, medda hi ymhen hir a hwyr. Dy air di yn erbyn 'i un o. Blaenor. Hogan ifanc. Mi fydd 'na siarad.

Dyna pam digwyddodd petha fel gwnaethon nhw yn y diwedd. Doedd gen i ddim bwriad yn y byd o ddeud wrth neb ond hi, fedrwn i ddim meddwl dim pellach na hynny beth bynnag, ond roedd hi wedi'i feddwl yn syth. Fyswn i ddim yn deud wrth neb, medda fi wrthi. Mond isio chi wbod.

Wel, falla mai'i anghofio fo fysa ora i ti rŵan. Ma gin ti ormod i golli yn stiwio dros y peth. Rho fo tu ôl i ti. A dim ond bryd hynny wnaeth hi afael yndda fi, fy ngwasgu i'n dynn, dynn a deud bod merchaid yn ei chael hi yn y byd 'ma, ac mai'r unig beth fedrwn i neud oedd gobeithio y cawn i ddod yn ôl fel dyn yn y bywyd nesaf. Ond be bynnag am hynny, y peth gora i mi neud rŵan fyddai anghofio. Fatha tasa fo rioed wedi digwydd.

A dyna ddechra'r sgubo dan y mat.

Ond fe fochiodd y mat, yn do. Bochio, a gollwng cyfrinach a fu tu mewn i mi, allan i'r byd, fel chwydu. Mi chwyddais efo'i had o a fedrwn i'm cuddiad rhagor, dan y mat nac yn nunlla arall. Mi dyfodd y drwg i gyd, hi i gyd, drwy 'nillad i, ohona i. A fedrwn i ddim anghofio wedyn.

Mi geisiodd Mam 'i gora i 'nghael i i fynd at rywun i gael 'i warad o. Hi. On'd oedd hi wedi clywad am rywun? Sut ddiawl, dwn i'm. Mi gei di warad arno, a wedyn gei di anghofio, medda hi, dyna'r plan gora. Mi gawn ni warad arno, a wedyn mi gei di anghofio, medda 'nhad hefyd wedi i Mam ei dynnu fo i mewn i betha.

A dyna pryd benderfynish i, na, 'swn i'm yn neud hynny. Fysa hynny wedi'n lladd i. Yn y bwlch lle roedd babi wedi bod, mi fysa'r gwir wedi tyfu fatha cansar tu mewn i mi am na fedrwn i anghofio, a byrstio allan ohona i fatha coden fwg, gan adael dim ond cyrbibion.

Roedd rhyw flodeuyn o syniad gen i yn fy mhen y gallwn i'i rhoi hi ffwrdd i rywun. Mi es drwy rywfaint o'r gwaith papur efo nyrs fach gymwynasgar a ddôi heibio i gadw llygad arna i tra oeddwn i'n chwythu fyny fel balŵn.

Ond y munud y gwelish i hi, roeddwn i'n gwybod na fedrwn i neud hynny chwaith.

Mae'n siŵr fod 'na ddal dig tuag at 'y mam a 'nhad, a Nedw Blaenor siŵr iawn, yn rhan o'r penderfyniad i'w chadw hi.

Ond nid dyna'r cyfan. Ddim o bell ffordd. Y munud y gwelish i hi, mi sylweddolish i na chawn i byth gyfle gwell na hwn i garu. I gael fy ngharu, i garu: yr un peth yn union ydan nhw. Mi ddisgynnish i mewn cariad llwyr â'r beth fach ar unwaith. Wrth edrych i fyw ei llygaid, diflannai'r lluniau yn fy mhen, ei anadl ddrewllyd o ar fy moch, ei ddrewdod o, ei Old Spice o, a'r siom a wnaeth ei gartre yn llygaid Mam o'r diwrnod hwnnw a thra buodd hi wedyn.

*

'Mam! Mam! Mam! Mam!'
    'Dowch 'wan, Hannah-Jane fach. Ma'r lleill yn trio cysgu.'
    'Lle ma hi? Lle ath hi? Pam nath hi 'ngada'l i? Mam!'

'Dyna fo, 'nôl i'r gwely...'

'Mam, plis!' Dwi'n trio peidio â chrio, ond fedra i'm peidio.
'Mam! *Plis!*'

$M$AE HI YNO drwy bob tymor yn gwylio, hi nad oedd ganddi enw...

O dan y glaw, mae'r dre lwyd yn ymystwyrian.

Un o'r dyddiau hyn, daw chwa drwy'r bwlch yn y cymylau i anadlu lliw i'r strydoedd eto; daw'n fyrdd o faneri, daw'n fôr o awydd; daw'n awel, daw'n gorwynt, daw'n ymchwydd o egni i dreiddio drwy'r dre.

Daw'n addewid, daw'n gerydd; daw'n antur ac yn ddyn, daw o unman ac o bobman; ysguba dros bob ffin, yn anferth anweladwy dros war y mynyddoedd; daw'n ynni byw, daw'n rym sy'n fwy na dim a welodd y dre a'i thrybestodau bach; daw'n wanwyn neu'n wenwyn; daw'n hyn oll

un o'r dyddiau hyn.

# 17

Agorodd Beth y drws yn betrus â'r goriad. Sniffiodd.
Hanner disgwyliai glywed oglau tamprwydd, ac roedd
hi'n reit falch nad oedd mor ddrwg â hynny. Pe bai hi wedi
meddwl, wedi rhoi sylw i bethau heblaw ei phriodas ifanc â
Dafydd, a'r holl bethau eraill a âi â'i bryd y dyddiau hyn, fel
mis mêl ac ailaddurno'r tŷ o'i dop i'w waelod, byddai wedi
gallu taro'i thrwyn rownd y drws yn amlach.

Fel roedd hi, trodd y dyddiau'n wythnosau, a chyrhaeddodd
mis Mawrth bron heb iddi sylwi. Dros y Nadolig a'r flwyddyn
newydd, a thrwy'r mis bach gwlypaf iddi ei gofio, mis eu
priodas, gadawyd y tŷ gwag i'w gwmni ei hun. Yn rhywle arall,
roedd gwladweinwyr yn gwneud penderfyniadau gwirion a
barai ffrae rhwng cymdogion, ac ymladd hyd yn oed, wrth i
bobol na wyddent yn well fyw eu rhagfarnau drwy eu geiriau
a'u dyrnau. Yn rhywle arall wedyn, roedd pobol yn galw am
dorri'n rhydd, am droi cefn ar y fath ffwlbri. Aethai byseidiau i
Gaeredin a Chaerdydd a mannau eraill, o bobman ac o dre. A
Beth efo nhw unwaith neu ddwy.

Yn rhywle arall, roedd Suzie'n mynd drwy'r camau olaf
o drosglwyddo'r tŷ i ddwylo'r Cyngor fel y gallen nhw dalu
am ofal i Hannah-Jane, ac yn llusgo'i thraed cyn arwyddo'r
ddogfen olaf un.

Yn rhywle arall wedyn, roedd Hannah-Jane wedi cael ei
symud o'i chartref yn rhan isaf y dre i Oakdene ym mhen
uchaf y dre, er gwaethaf y gwahaniaeth yn y pris. Yno, cafodd
gwmni Grace, a fu wrthi'n ceisio'i gorau i gael Hannah-Jane

i gofio beth gafodd hi i swper neithiwr, ac enwau ei hwyrion, ac i anghofio'r dre fel roedd hi yn ystod pedwar degau a phum degau'r ganrif ddiwethaf.

Dyna lle roedd Hannah-Jane yn byw bellach, yn y cyfnod euraid wedi'r rhyfel. Y blynyddoedd balch. Roedden nhw'n fwy byw iddi na'r dwylo o flaen ei llygaid. Cybolfa o'r hapus a'r trist, y naill mor fyw â'r llall.

Mynd i'r tŷ i ddweud ta-ta a wnaethai Beth, ar ei ffordd i roi'r goriad yn nwylo'r Cyngor fel roedd hi wedi addo i Suzie y byddai'n ei wneud.

Prin mai'r un lle oedd o er hynny, a'i gynnwys wedi'i rannu rhwng siopau elusen a'r ganolfan ailgylchu ym mhen arall y dre, a'r gweddill da i ddim i neb wedi'i ddanfon i safle tirlenwi. Clywai Beth sŵn ei hesgidiau'n atseinio oddi ar waliau'r gragen wag. Teimlai fel pe bai wedi'i ddiberfeddu: tŷ marw, heb ei gynnwys o gnawd.

Bechod, meddyliodd Beth, cyn iddi atgoffa ei hun y dôi eraill, teulu arall, i'w lenwi cyn pen dim. Ond roedd yna bennod yn dod i ben hefyd, pennod yn ei bywyd hi lawn cymaint ag i Suzie, pennod yr oedd y rhan fwyaf ohoni wedi hen fynd yn angof i Hannah-Jane bellach.

Aeth Beth i fyny'r grisiau ac i mewn i hen stafell wely Hannah-Jane lle roedd y ffenest yn edrych allan ar y stryd lwyd. Roedd digon o aeaf wedi bod. Roedd hi'n bryd i'r dre weld gwanwyn. Llechi llwyd oedd yn dod i feddwl Beth wrth feddwl am y dre. Trymder o lechi llwyd. Trwy bob ffenest, llechi llwyd a glaw. Dyna oedd dre, a chysgod tywyll dros y cyfan. Neu dyna'r teimlad, os nad y realiti. Prin y llwyddai'r haul i wthio'i fysedd i'r cilfachau. Byth er pan oedd hi'n ddynes ifanc, teimlai Beth mai wedi tywyllu roedd y dre, ac nad dyna fel roedd hi wedi bod erioed. Siaradai pawb amdani'n oleuach yn y dyddiau hynny – pryd bynnag oedd 'y dyddiau hynny'. Teimlai fod yr haul yn arfer gwenu'n llawer amlach arni, ac yn fwy cynnes, a bod y strydoedd yn lletach ers talwm, a mwy o le ynddyn nhw i anadlu; edrychai'r ffenestri tuag i fyny, yn hytrach nag o dan eu cuwch. Teimlai fod bocsys blodau ar y rhan fwyaf o sìl ffenestri'r dre yr adeg honno a phawb yn fodlon braf â'u tair llathen o deras, yn falch o'u pishyn bach o'r dre yn y dyddiau cyn i'r ceir wthio pawb i'w bocsys, neu allan i'r cyrion.

Agorodd ddrws y stafell sbâr a arferai fod mor llawn o stwff, a chael sioc ar ei thin. Yno, o dan y ffenest, roedd sbwrielach bwyd tecawê, cartonau gwag a briwsion sych hen brydau KFC a McDonald's, a gwellt a phapurach, yn union fel pe bai rhywun wedi gwneud ei wâl yno am ryw hyd o amser.

Chloe ddaeth i'w meddwl ar unwaith. Cofiodd y sgyrsiau a fu rhyngddyn nhw llynedd. Cofiodd hefyd sut oedd Hannah-Jane yn arfer ffonio a dod ati drws nesa ym mherfeddion nos, yn argyhoeddedig fod rhywun yn ei thŷ, a hi a Dafydd yn ei darbwyllo fel arall, yn sicr mai dryswch ei meddwl a wnâi iddi ddychmygu pethau.

Cofiodd am y ferch a ddaeth i ddarllen y letrig i Hannah-Jane pan oedd hi yn Llundain, heb alw drws nesa yn ei thŷ hi, ac am Mari Nymby-Lefn... ai Chloe oedd wedi bod yno, yn cysgodi rhag y tywydd? Hawdd iawn fyddai twyllo dynes oedd yn colli ei chof. A'i bai hi, Beth, fyddai'r cyfan, yn ymddiried yn y ferch, heb weld pellach na blaen ei thrwyn twp.

Ac os mai Chloe oedd wedi gadael ei hôl fel nyth llygoden fawr ar lawr y stafell wag, sut na sylwodd Beth arni'n mynd a dod?

Anadlodd yn ddwfn, a chyfri pedwar carton tships, a thri phapur byrgyr, tri chwpan, pedwar neu bump o wellt... doedd o ddim yn llawer i gyd. Naill ai doedd y llygoden ddim wedi treulio cymaint â hynny o amser yn y nyth benodol hon, neu roedd hi'n clirio ar ei hôl fel arfer, a rhywbeth wedi tarfu arni'r tro diwethaf nes na allodd wneud hynny.

A sut yn y byd y llwyddodd hi i ddod i mewn, meddyliodd Beth. Bu'r tŷ'n wag ers misoedd, ac os oedd hi wedi llwyddo i dwyllo Hannah-Jane ddigon i'w galluogi i gysgu yn y tŷ unwaith neu ddwy drwy ddweud mai dod yno i ddarllen y mîtar oedd hi, a gadael i niwl anghofrwydd lithro dros feddwl yr hen wraig, ddigon iddi allu llechu fyny grisiau ynghanol holl lanast y stafell sbâr, sut y daeth hi i mewn wedyn, ers i Hannah-Jane adael, ers iddyn nhw glirio'r tŷ? A oedd Chloe wedi dwyn allweddi Hannah-Jane i wneud copi ar gyfer rhyw ddydd a ddôi, a'r eiliad y gwelodd hi fod y tŷ'n wag, wedi'i glirio, a oedd hi wedi bachu ar ei chyfle?

Teimlodd Beth ryw lithro'n digwydd tu mewn iddi. Sadiodd. Neu...

Onid oedd hi'n fwy tebygol mai Ishi Mai oedd wedi gadael y sbwriel yn y tŷ, mai ei holion hi oedd y rhain, gweddillion rhyw bryd neu ddau ar garlam rhwng fan hyn a Llundain tra oedd hi'n gorffen clirio, neu pan ddaeth i lawr i aros ddiwethaf yn y gobaith y byddai'r tŷ a'r dre'n rhoi rhywfaint o ysbrydoliaeth iddi, syniad ar gyfer ei phrosiect nesaf? Ai bwydo egni creadigol Ishi Mai a wnaeth cynnwys y cartonau a'r papurach gwag? Bu Ishi Mai a Suzie yno droeon yn aros, ac er na fyddai Suzie'n gadael i'r lle edrych yn anniben, doedd dim amheuaeth na allai Ishi Mai fod wedi gwneud, meddyliodd Beth wrth gofio'r llanast yn y parlwr pan ddaeth y ferch i aros gyntaf yn yr haf.

Canodd cloch ei mobeil gan wneud iddi neidio o'i chroen. Estynnodd ei ffôn o'i phoced. Suzie.

'Dries i ffôn y tŷ...' eglurodd honno.

'Dwi drws nesa,' meddai Beth gan deimlo ychydig bach fel pe bai'n tresmasu. 'Un olwg ola cyn mynd â'r goriada...'

Agorodd ei cheg i ofyn a oedd Ishi Mai wedi gadael sbwriel bwyd yma, ond doedd ganddi ddim syniad ble i ddechrau gofyn y fath gwestiwn, a doedd hi ddim am ddychryn Suzie â'r wybodaeth y gallai fod ganddi sgwatiwr. A dduw mawr, sut oedd dechrau cyfaddef mai arni hi fyddai'r bai pe bai hynny'n wir?

Cafodd ei hachub gan lais Suzie'n dweud wrthi am ddal gafael ar y goriad am ychydig.

'Mae gen i'r ffurflen o 'mlaen i'w drosglwyddo i ddulo'r Cyngor,' eglurodd yn ddiflas.

Synhwyrodd Beth mai chwerwfelys fyddai'r weithred i Suzie. Digon hawdd deall pam: bu'r tŷ'n eiddo i'w theulu ers dyn a ŵyr pryd – dros ganrif yn bendant, a 'nôl, 'nôl cyn hynny hefyd am a wyddai. Yn union fel ei thŷ hi drws nesa, yn hŷn na gallu neb i gofio. Ai ei hen daid neu ei hen hen daid a'i prynodd o gyntaf...?

'Bechod bod raid,' dechreuodd Beth. 'Dewis rhwng cadw dy afael ar delpyn o hanes a chysur dy fam...'

Caeodd ei cheg. Ceryddodd ei hun am siarad mor ddifeddwl. Digon hawdd iddi hi hiraethu am ryw amser a fu. Doedd pethau ddim yr un fath i Suzie: yn ei lle hi, mi fyddai Beth wedi baglu dros ei thraed ei hun i gael gwared ar le a gynrychiolai'r fath ofid ynddi.

'Dyna dwi 'di bod yn 'i feddwl,' meddai Suzie, 'a mwya dwi'n meddwl... wel, mwya dwi'n meddwl ella gallwn i... sti...'

Crychodd Beth ei thalcen.

'Wsti...' meddai Suzie eto.

'Na wn i,' meddai Beth.

'Wel, ella medrwn i dalu am Mam. Mi nath Aito yn siŵr fod gynnon ni ddigon. Ac er bod gas gin i'r syniad o ail gartra…'

'Ti ddim am 'i werthu fo?' gorffennodd Beth drosti, a synnu at faint o syndod oedd i'w glywed yn ei llais ei hun.

'Ddim am rŵan,' meddai Suzie. 'Mi fysa'n braf cael rwla i aros wrth ddod i'w gweld hi. A pwy a ŵyr, ella bydd Ishi Mai'n gwerthfawrogi rwla tawel i weithio weithia…'

Anadlodd Beth yn ddwfn. 'Dyna be ydi newydd da,' meddai.

'Ti'm yn meindio 'nghael i'n gymydog achlysurol felly… ac Ishi Mai o bryd i'w gilydd, ma'n siŵr.'

'Wel, nacdw wir,' meddai Beth, gan obeithio ei bod hi'n swnio'n ddiffuant. Sawl plentyn i gymydog oedd yn dal i fyw dan ddoeau eu rhieni yn dre neu lefydd gwaeth am na allen nhw fforddio lle i fyw, a dyma hon yn sôn am gadw dau dŷ? Ar amrantiad, meddyliodd am Chloe fach yn gorfod dewis rhwng y stryd neu bartner afiach ei mam.

Ar y llaw arall, efallai mai 'nôl i'r dre y deuai Suzie i fyw'n barhaol yn y pen draw, i gwblhau rhyw daith tuag at ddeall ei stori ei hun, ac o edrych arni felly, ni allai Beth lai na theimlo'n falch dros ferch Hannah-Jane.

'Ond be nath i ti newid dy feddwl?'

'Dwi'm yn siŵr eto 'mod i wedi'n derfynol,' atebodd Suzie'n betrus, cyn ychwanegu'n fwy cadarn, 'ond am rŵan, yn de, dwi am ddal 'y ngafael ar y lle. Ella'i bod hi'n bryd i mi ddechra cofio pwy ydw i.'

*

Caeodd Beth gaead y bin ar ôl gwagio'r sbwriel iddo. Wnâi hi ddim sôn wrth Suzie amdano rhag creu trafferth diangen, meddyliodd. Efallai fod rhai pethau'n well wrth eu sgubo nhw o dan y mat.

Nid Chloe, cywirodd ei hun: nid ei sgubo hi o dan y mat, dim ond ei hôl hi, os mai dyna oedd o.

Mi fydd raid i mi fynd i holi'n bellach i weld be ydi 'i hanes hi, meddai Beth wrthi ei hun, gan dynnu'r drws ar gau'n glep tu ôl iddi, a rhoi'r allwedd yn ôl yn ei phoced.

# 18

BE HARU'R RHEIN? Mwydro pen rywun rownd ril. Y tair ohonyn nhw fatha clagwydd, dwy yn Gymraeg a llall yn Saesneg. Be haru nhw'n mwydro 'mhen i?

'Dowch, bytwch beth o'r gacan,' hwrja un o'r ddwy sy'n siarad Cymraeg.

'Raid i chi,' meddai'r llall yn Saesneg. 'Eich cacen chi ydi hi wedi'r cyfan.'

Mae 'na 90 mawr ar y gacen, a Hannah-Jane. Fyswn i ddim wedi rhoi fy hun agos gyn hynad â hynny, ond dydi cacenna ddim yn twyllo.

'Dwi'm yn licio cacen,' medda fi. 'Ti'n gwbod hynny, Grace.'

'Susan dw i, Mam. Ma Grace draw fancw, sbïwch. Ylwch, mae hi'n codi'i llaw arnach chi.'

Dwi ddim yn codi'n llaw yn ôl. Sgin i'm syniad pwy ydi'r beth fach fusgrell mae hon yn pwyntio ati.

'Lle ma'r dynion?' dwi'n gofyn. Ma'r stafell 'ma'n llawn o hen fenywod. Oes 'na ryfel, 'dwch? A wedyn dwi'n cofio nad ydi dynion yn para gymint â menywod, tydan nhw'm hannar mor wydn. Mond menywod sy 'na ar ôl yn dre 'di mynd. A'r rheini'n hen, o sbio ar rhein sy o 'nghwmpas i'n fama.

Cacen. Am wastraff pres.

Siŵr bod un o'r rhain yn arfar byw drws nesa slawar dydd, stalwm iawn hefyd. Llond tŷ ohonyn nhw.

Menna Morris, dyna pwy ydi hi. Mam Lizzie-Ann. Dwi isio gofyn iddi lle ma Lizzie-Ann, ond wedyn dwi'n cofio bod 'na beth wmbrath ohonyn nhw yno heblaw Lizzie-Ann, fydd hon ddim yn cofio lle maen nhw i gyd. A mae 'na rwbath sy ddim cweit yn iawn amdani hi hefyd, rwbath sy ddim yn taro deuddeg. Fatha tasa hi'n Menna Morris drwy waelod gwydr.

'Dowch, mi roith cacan wallt cyrls ar 'ych pen chi, dyna oeddach chi'n ddeud wrtha i pan o'n i'n hogan bach,' medda hon sy'n deud mai Susan ydi hi.

Ddim fy Susan i, fuodd honno 'rioed yr oed ydi hon.

'Dwi isio mynd adra,' dwi'n deud wrthi 'run fath.

'Pan fyddwch chi'n gryfach ella,' mae hi'n ateb, a dwi'n gallu deud yn iawn ei bod hi'n rhaffu clwydda. 'Dowch 'wan, Mam. Cymwch ddarn bach o'ch cacan pen-blwydd chi.'

Mam, ddudodd hi. Fatha taswn i'n fam iddi hi. Ond mae hi'n ddigon hen i fod yn fam i *fi*.

Ma'n nhw'n trefnu 'mywyd i drosta fi, damia nhw. Nesh i byth ada'l i neb neud hynny, a dyma nhw'n gneud.

Doro hi i rywun sy'n gallu edrach ar 'i hôl hi, medda Mam drwy bwll y môr o ddagra. Dwi'n erfyn arna chdi, ddaw 'na'm daioni o'i chadw hi. Mi nest ti ddeud mai dyna fysa chdi'n gneud, a dyma chdi rŵan yn chwalu'r trefniada i gyd.

Daw'r un sy'n 'y ngalw i'n Mam yn agosach ata i wrth i'r un sy ddim yn siarad Cymraeg godi camera i dynnu llun.

'Sbïwch ar Ishi Mai, Mam, a gwenwch.'

Mam alwodd hi fi, felly ma'n rhaid mai Susan fach ydi hi, er nad ydi hi'n edrach ddim byd tebyg iddi.

'Diolch, Susan,' dwi'n deud wrthi, ac mae hi'n gwasgu'n llaw fi'n dynn, dynn a gwenu lawn mor dynn arna i, fatha tasa hi am grio. Raid 'mod i'n iawn felly. Petha bach yn gneud i rai grio.

Ma'r un ifanc yn codi'r sgwaryn yn 'i llaw sy'n rhy fach i fod yn gamera, does bosib, a dwi'n gwenu 'ngora glas.

Ar ôl tri, un, dau, tri.

Hen lol. Pawb yn tynnu llunia fatha petha ddim yn gall. Mi oedd petha'n digwydd ers talwm heb fod 'na lun i ddangos.

'Wsti be,' dwi'n deud wrth yr un sy'n gafael yn fy llaw, tra bod y lleill i gyd yn ffysian o gwmpas y canhwyllau, mond sbio i lygada'r beth fach oedd gen i…'

To'n i'm isio'i hen jec o. A gesh i'r fath siom pan aeth Mam drosodd i'w ochr o. Ddim nad oedd hi'n 'y nghredu i. Mi oedd hi. Ond doedd be o'n i wedi'i ddeud wrthi ddim yn bwysig.

'I lygaid pwy, Mam?' mae hi'n holi a sbio arna fi fatha tasa'i bywyd hi'n y fantol.

'Llygada Susan,' dwi'n ateb. Fatha tasan nhw'n fy llyncu i, o'r eiliad gynta un. 'Sbio i lygada'r beth fach. Reit i mewn, a hitha prin yn eiliada oed. Mi fynnish i'i chael hi'n fy mreichia, ac erbyn hynny, o'n i'n gwbod, to'n…'

Mae hi ar ei glinia o 'mlaen i rŵan, yn sbio fyny a'i gwallt llwyd hi fatha powlen o gwmpas 'i gwyneb hi. Fedar hi ddim cuddiad y ffaith 'i bod hi'n crio achos ma'i llygada hi'n goch, a stremps du'r stwff 'na yn 'u corneli nhw. Mi fwytha i'i gwallt hi, bechod, pwy bynnag ydi hi. Ma'r lleill wedi camu o'r ffordd, i roi lle i ni, be bynnag sy'n digwydd. Maen nhw'n cogio peidio sylwi, ac yn dal i wag-siarad am gacen.

'Pwy, Mam, pwy oedd yr un fach?'

Masgara. Dyna 'di'r stremps. O'dd gin Grace Roberts a minna un rhyngthan ni i'w wisgo bob nos Sadwrn. A Mam yn deud 'gofala di gael gwarad ar y masgara 'na cyn capal bora fory' y munud down i i'r tŷ odd' ar y bỳs ola o Fangor. Mi oedd raid i athrawesa fynd allan o dre i ddawnsio ar nos Sadyrna rhag ofn i rywun 'u gweld nhw'n enjoio'u hunain.

'Pwy oedd pwy?'

'Yr un fach naethoch chi sbio i'w llygaid hi…'

Ia, yr un fach yn 'y mreichia i. Mi grafangodd hi am 'y nghalon i o'r eiliad gynta a fedrwn i byth adael fynd wedyn.

'Susan,' dwi'n ateb.

Dwi'n rhoi ochenaid fach, fatha taswn i wedi clirio 'ngwynt. 'Swn i 'di medru cael 'i gwarad hi, ond unwaith gwelish i hi, o'n i'n gwbod na fedrwn i byth neud hynny.

'Ia,' mae hi'n ddeud, hon o 'mlaen i, a gwenu drw ddagra arna fi.

Am hannar eiliad, dwi'n meddwl 'mod i'n gwbod pwy ydi hi.

Holwch am bris argraffu!
www.ylolfa.com